KB196742

처음 읽는
서양 미술사

DAIGAKU 4NENKAN NO SEIYO BIJUTSUSHI GA 10JIKAN DE ZATTO MANABERU
© Hidehiro Ikegami 2020
First published in Japan in 2020 by KADOKAWA CORPORATION, Tokyo.
Korean translation rights arranged with KADOKAWA CORPORATION, Tokyo
through ENTERS KOREA CO., LTD.

이 책의 한국어판 저작권은 (주)엔터스코리아를 통해 저작권자와 독점 계약한 탐나는책에 있습
니다.
저작권법에 의하여 한국 내에서 보호를 받는 저작물이므로 무단전재와 무단복제를 금합니다.

Jan van Eyck
Jean-François Millet

한 장씩 읽고 그리는
서양 미술 히스토리

이케가미 히데히로 지음 | 박현지 옮김

처음 읽는
서양 미술사

Gustav Klimt
Raffaello Sanzio
Pablo Picasso
Johannes Vermeer

탐나는책

여기 그림 한 장이 있다. 그림 속에는 한 젊은이가 손을 뒤로한 채 기둥에 묶여 있다. 허리에 면을 둘렀을 뿐인 나체에는 화살이 몇 발이나 꽂혀 있고, 상처에서는 새빨간 선혈이 뚝뚝 떨어지고 있다. 성 세바스티아누스Sebastianus라 불리는 그는 극한의 고통에 얼굴을 찡그리면서 하늘을 우러러본다. 거기에는 축복하러 내려온 천사가 보인다 (177쪽).

이 잔혹한 장면은 14세기 후반 이후 기독교 책형 장면에 이어 서양에서 가장 많이 그려진 처형 장면이다. 그 배경에는 페스트(흑사병)의 위협이 있었다. 페스트는 1348년경 유럽에 들어와 눈 깜짝할 사이에 대유행하며 기나긴 시간 동안 유럽인들의 사인死因 중 상위를 점했다. 페스트의 감염 원인도 치료법도 알지 못하던 당시에는, 어느 날 갑자기 림프절에 검은 혹이 생겼다 싶으면 순식간에 전신으로 번져 검게 썩어가는 병인 페스트를 타락한 인간을 향한 신의 형벌로 여겼다. 무작위로 날아든 신의 분노의 화살에 운 나쁘게 맞으면, 그 사람은 죽음을 기다리는 수밖에 없었다.

한편 성 세바스티아누스는 기독교가 금지된 시대에 포교했다는 죄

목으로 처형당했지만, 신의 기적으로 화살을 맞아도 죽지 않았다는 일화가 있다. 그래서 서양에서는 신의 화살에 맞지 않도록, 맞더라도 도움받을 수 있도록 성 세바스티아누스의 그림을 부적처럼 활발하게 그렸다. 그의 그림이 큰 인기를 끈 데는 그런 이유가 있었다.

흥미로운 점은, 성자가 살던 시대는 3세기로 추측되는데 페스트가 처음 유행한 14세기까지 약 천 년 동안 그 성자의 그림은 거의 없었다는 점이다. 즉, 특정 그림이 유행하는 데는 그 요인이 되는 사회 배경이 반드시 있는 것이다.

이렇게 모든 그림과 주제, 기법이나 양식은 그 시대 혹은 지역 사회에 따라 결정된다. 이는 종교나 사상이기도 하고, 정치나 경제 때로는 페스트 같은 병 혹은 전쟁이기도 하다. 그 시대나 사회 요인들이 새로운 양식 등을 만들어내는 원동력이 되어왔다는 사실을 아는 것은 재미있다. 전쟁 시대에 뛰어난 예술가가 다수 나타났듯, 인류에게는 혼란이나 역경의 시대에 오히려 왕성하게 예술 활동을 펼치는 역사가 있다. 성 세바스티아누스가 그려진 그림 한 장에서도 당시의 사람들이 무엇을 무서워했고, 무엇에 고통받았고, 무엇에 구원을 바라며 기도했는지 알 수 있다.

내가 이 책을 쓰기 시작한 시점은 마침 세상에 코로나19 바이러스의 위협이 닥친 시기였다. 아직 유효한 치료약이나 백신도 없는 상황에서, 날마다 많은 희생자를 낳는 미지의 병에 전 세계가 떨었다. 물론 인류가 지금까지 몇 번이나 이런 사태를 돌파했듯, 이 위협도 언젠가 종식될 것이다. 그 과정에서 태어날 새로운 예술이 이 기억을 후세에게 전할 것이다.

미술 작품은 이런 인류가 지나온 역사를 '보기' 위한 문이자 그 열쇠가 되어주기도 한다. 거기서 배울 점은 많다. 자, 그럼 이제 그 '보는 법과 배우는 법'을 함께해보자.

2020년 6월,
도쿄조형대학 교수 이케가미 히데히로

| 차례 |

들어가는 글 5

제1부 | 서양 미술사를 즐기기 위해

제2부 | 서양 미술을 더 즐겁게, 명화 보는 법

제3부 | 서양 미술의 '기법', '장르 구분'을 배우다

제4부 | 서양 미술의 '역사'를 배우다

제5부 | '우의화', '성서화', '신화화'에 숨은 암호를 해독하다

서양 미술사를
즐기기 위해

Jan van Eyck
Jean-François Millet
Gustav Klimt
Raffaello Sanzio
Pablo Picasso
Johannes Vermeer

01 미술사를 배우면 왜 좋을까?

미술사란 작품을 통해 사람을 알고 자기 자신을 아는 것

보통 사람들은 미술사라고 하면 '제목이 무엇'이고 '누가', '몇 년'에 제작했는지를 기억하는 학문이라는 인상을 받는다. 분명 그런 데이터를 기억하는 일은 어느 정도 필요하다. 하지만 그보다는 '왜 그런 작품이 그 시대에 그 지역에서 그려졌는지' 또는 '왜 그런 양식이 그 시대에 그 지역에서 유행했는지'를 고찰하는 것이 중요하다.

왜 그럴까?

오늘날 우리는 자기 생각을 글로 쓰고 다른 사람의 생각을 글로 읽어 이해할 수 있다. 하지만 천 년 전 유럽에서는 정치를 움직이는 왕후 귀족이나 교회에서 일하는 사람, 법률이나 상업과 깊게 연관된 사람 외에는 글을 읽고 쓸 수 없었다. 인류의 긴 역사 속에서 모두가 글을 읽고 쓸 수 있게 된 시점은 최근이다.

그래서 사람들에게 전달하고 싶은 내용이 있을 때는 그림 등의 미술 작품을 이용했다. 요컨대 옛날의 미술은 오늘날보다 더 '누군가에게 무언가를 전달하는' 기능이 강했다.

따라서 당시 사람들의 생각이나 옛날 사회를 알고 싶다면 미술을 이해해야 한다. 즉, 미술사란 미술 작품을 매개로 '사람을 아는 것'을 목적으로 하는 학문으로, 더 나아가서는 '자기 자신을 아는 것'으로 이어진다. 그래서 미술사는 역사학이면서 동시에 철학의 측면도 지닌 학문이다.

미술사 공부의 장점

미술사는 이게 재미있다!

무엇을 그렸는지

왜 그렸는지

왜 유행했는지

무엇을 전달하려 했는지

미술 작품은 '누군가에게 무언가를 전달하는' 기능이 강했다

미술사를 배운다

사람을 안다 ➕ 자기 자신을 안다

02 미술사 공부가 즐거워지는 두 가지 시점

'정신적 측면'과 '물리적 측면' 양쪽을 이해하자

미술사란 미술 작품을 통해 '왜 그런 작품이 그 시대에 그 지역에서 그려졌는지', '왜 그런 양식이 그 시대에 그 지역에서 유행했는지'를 고찰하는 학문이라고 말했다. 고찰을 위해서는 두 가지 측면에서 작품에 접근해야 한다.

첫 번째는 무엇을 표현했는지, 어떤 의미를 담았는지를 고찰하는 것이다. 요컨대 '정신적 측면'을 살펴봐야 한다. 두 번째는 어떤 소재와 기법을 사용했는지, 또는 어떤 구도나 색채, 필치를 적용했는지를 고찰하는 것이다. 즉, '물리적 측면'을 살펴봐야 한다.

'물리적 측면'도 중시된다는 점이 미술 작품의 특징이다. 예컨대 문학 작품일 경우 그 작품에 담긴 의미나 내용이 중요하지, 어떤 종이에 어떤 글씨체로 인쇄했는지는 따로 고려할 필요가 없다. 하지만 미술 작품에서는 '물리적 측면'도 절대 무시할 수 없는 요소다.

그런 '물리적 측면'에 관한 용어로 '양식'이 있다. '양식'에는 화가 개인의 특징인 '개인 양식'과 시대나 지역의 특징인 '시대 양식·지역 양식' 두 종류가 있다. 그런데 이 두 종류의 양식은 복잡하게 얽혀 있어 간단하게 구분할 수 없다. 같은 시대, 같은 지역에서 태어난 예술가들은 색을 사용하거나 주제를 선택하는 방식이 닮은 경향이 있다. 그래서 미술 작품은 그 시대의 사람이나 사회를 알기 위한 수단이 되는 것이다.

미술 작품에 대한 접근 방법은 두 가지!

정신적 측면 = 〈그림의 의미〉에 접근

왜
이 그림을
그렸을까?

사실은 시가에 보내는 용
(약혼자에게 근황을 전하기 위해)

벨라스케스(Velazquez)
〈푸른 드레스를 입은 마르가리타 공주〉
1659년 미술사 박물관, 빈

물리적 측면 = 〈그림의 외견〉에 접근

언제 어디서
그려졌을까?
(시대 양식·지역 양식)

그림의 재료는
무엇일까?

이 화가의
특징은?
(개인 양식)

사실은 달걀을 사용했다
(템페라화)

산드로 보티첼리(Sandro Botticelli)
〈비너스의 탄생〉
1484-1486년경 우피치 미술관, 피렌체

03 미술사를 배우기 위해 익혀야 할 두 가지 기술

작품의 약도를 만들고, 언어화하는 기술적 요소를 해설한다

시각 정보를 분석하는 학문인 미술사를 배우기 위해 익혀야 할 중요한 두 가지 기술이 있다. 바로 스케치 기술과 묘사 기술이다.

스케치 기술이란 '대상이 되는 작품의 약도(스케치)를 그리는 기술'이다. 미술사는 방대한 양의 이미지를 대상으로 하는 학문이기 때문에 하나하나 시간을 들여 정성스레 스케치할 여유는 없다.

실제로 이 기술을 익히기 위해, 한 장당 30초 시간을 정해놓고 연속적으로 작품을 약도로 그리는 훈련을 한다. 색 등을 칠할 시간이 없기에 특징적 색채는 스케치 내에서 '파랑'이나 '빨강' 등 단어로 기입한다. 이 기술을 익히면 머릿속에 대량의 시각 이미지 데이터를 축적할 수 있다.

묘사 기술이란 '시각 정보를 언어 정보로 변환하는 기술'이다. 이렇게 말하면 어려워 보이지만, 간단히 말하면 특정 작품을 보면서 약도 등을 사용하지 않고 말만으로 설명하는 작업이다. 이를 '작품 기술(에크프라시스Ekphrasis)'이라고도 한다.

자신의 머릿속에 아무리 대량의 이미지 데이터가 있더라도 다른 사람에게 말로 전달할 수 없다면 의미가 없다.

먼저 화면의 어디에 무엇이 그려져 있는지 그 내용을 전달하고, 거기서 화면을 구성하고 있는 요소의 수와 배치, 각각의 형상이나 색, 특징을 전달하는 것이 중요하다.

미술사를 배우기 위한 필수 기술 두 가지

1. 〈스케치 기술〉

||

작품의 **약도**를 그리는 기술

※ 〈토비아와 천사〉(49쪽 우측 상단)의 약도
수강 노트 제공: 다케시타 아키코

2. 〈묘사 기술〉

||

약도 등을 사용하지 않고 **말**로 설명하는 기술

좌측 그림의 묘사는 이렇게

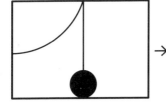 →

• 직사각형의 왼쪽 세로 중앙에서
  상단 가로 중앙으로 완만한 곡선을
  그린다
• 거기서 맨 아래 방향으로 수직선을
  그린다
• 그 직선의 맨 아래에 직사각형의
  세로 길이의 4분의 1 정도의
  직경으로 새까만 원을 그린다
• 원의 바닥은 하단 가로에 접한다

04 그림을 해독하기 위해 알아두면 좋은 세 가지 기호

아이콘, 지표, 상징을 알면 감상이 즐거워진다

특정 미술 작품을 해석하기 위해서는 그 작품에 나타난 기호(사인)의 의미를 이해해야 한다. 예컨대 '→'라는 화살표는 원래 화살을 도안(디자인)화한 것이다. 우리는 보통 '→'를 보면 '오른쪽으로 가라'라는 의미로 받아들인다. 하지만 화살 자체는 물론 '→'의 기호에도 처음부터 그런 의미가 존재했을 리 없다. 요컨대 '(도안화를 포함한) 이미지화'에 '의미가 부여'되기 시작하면서 특정 정보를 전달하는 기호가 된 것이다.

기호로써 사용되는 이미지에는 세 종류가 있다. 화살을 이미지화한 '→'나 실제 밭의 구획 모양에서 유래한 '田(전)' 한자처럼 원 대상이 가진 형상과 비슷하게 만들어진 기호를 '우상(아이콘Icon)'이라고 한다.

그와 다르게 대상 그 자체와는 닮지 않았지만, 인과관계를 가지고 있는 유형의 기호를 '지표(인덱스Index)'라고 한다. 예컨대 도안이라 인식했을 때는 숫자가 순서대로 나열되었을 뿐인 달력을 보고 한 달이라고 인식할 수 있는 건, 달력이 '지표(인덱스)'로서 성립했기 때문이다.

그리고 세 번째가 '상징(심벌Symbol)'이다. 오늘날 우리는 흰 비둘기를 보고 평화의 상징이라 생각하지만, 원래 흰 비둘기에 그런 의미는 없었을뿐더러 모든 시대와 지역에서 통하지도 않았다. 이렇게 원 대상과 직접적인 연관성이 없어도 '새로운 의미'를 부여받은 기호를 '상징(심벌)'이라고 한다.

알기만 해도 감상력에 차이가 벌어지는 세 가지 기호

| 기호 1 **우상**(아이콘) | = | 원 대상과 형상이 닮음 |

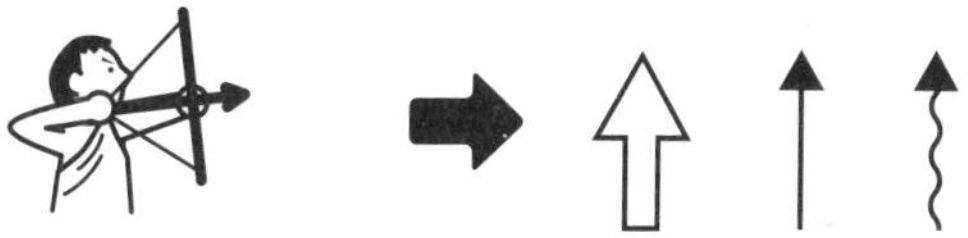

등의 화살표

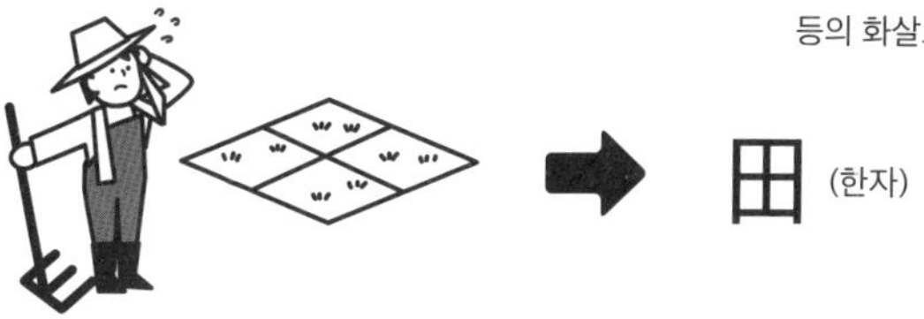

田 (한자)

| 기호 2 **지표**(인덱스) | = | 인과관계가 있음 |

		1	2	3	4
5	6	7	8	9	10	11
12	13	14	15	16	17	18
19	20	21	22	23	24	25
26	27	28	29	30	31

달력이다!

단순한 숫자의 나열을
달력이라 인식함

| 기호 3 **상징**(심벌) | = | 새로운 의미를 부여받음 |

평화

05 미술 감상의 묘미 중 하나, '의인상'과 '알레고리'를 해석하다

'검', '천칭', '학'이 뜻하는 바는?

'의인상'과 '우의화(알레고리)'는 회화繪畫 중에서도 좀 더 복잡한 의미를 전달한다.

15세기 이탈리아에서 제작된 한 판화를 예로 들어보자. 화면 중앙에 고대 의상을 걸친 한 여성이 오른손에는 검을 쥐고 왼손에는 천칭을 들고 서 있다. 그녀의 발밑에는 한 다리를 들고 서 있는 학이 있다. 검은 강함을 상징하고, 의지력도 뜻한다. 천칭은 좌우 균형을 맞춰 중량을 재는 도구이다. 학은 유럽에서 옛날부터 신중한 생물이라고 여겨졌다.

이 그림은 재판에서 판결할 때는 외견이나 직업 등 정보에 현혹되지 말고 신중하게 양쪽의 주장을 비교해 판단해야 하며, 감정에 좌우되지 말고 확고하게 결단해야 한다는 뜻을 내포하고 있다. 즉, 이 여성상은 전체적으로 '정의·공정·법률'을 의미한다. 이렇게 사람의 모습을 이용해 추상적인 개념을 나타내는 것을 '의인상'이라고 한다.

한편, 그림 속에 그려진 비눗방울은 '덧없음'을 의미한다. 비눗방울은 금방 사라지는 특성이 있기 때문이다. 이렇게 사람의 모습으로 한정되지 않는 이미지로 특정 의미를 나타내는 것을 '우의화(알레고리)'라고 한다. '의인상'은 '알레고리'에 포함된다.

이런 알레고리는 매우 많아서, 중세에는 그 의미를 풀이하기 위한 사전 성격을 띤《우의화집》몇 권이 만들어졌다.

미술 감상의 즐거움, '의인상'과 '알레고리'를 해석하다

| 의인상 | = | 사람을 이용해 추상적인 개념을 나타낸다 |

검 = 강함

천칭 = 균형

학 = 신중함

15세기 이탈리아 판화

| 알레고리 | = | 특정 메시지가 담긴 이미지 |

비눗방울 = 덧없음

⬇

덧없는 인생

⬇

그러니 바르게 살아가자

카렐 두자르딘(Karel Dujardin) 〈알레고리〉
1663년, 코펜하겐 국립미술관, 덴마크

06 제작 연대가 1200년 이상 차이 나는 노인 그림 두 점의 공통점

감상자에게 '저 사람이 누군지'를 전달하기 위해 탄생한 '어트리뷰트'

6세기에 이집트 성 카타리나 수도원에서 제작된 그림 한 장이 있다. '납화(엔코스틱Encaustic painting)'라는 특수한 기법으로 한 남성을 나무판에 그린 그림이다. 한편 19세기 스페인 화가 고야Francisco de Goya도 한 남성을 그렸다. 이 그림은 캔버스(화포)에 유채로 그렸다.

두 그림의 남성 모두 조금 둥근 얼굴을 한 노인으로, 관자놀이부터 앞턱까지 흰 수염으로 덮여서는 완고한 표정을 짓고 있다. 열쇠 다발도 그려져 있다. 두 그림은 제작된 시대도 지역도 기법도 완전히 다르지만, 특정 부분에 집중해서 보면 같은 인물임을 알 수 있다. 실제로 두 작품 모두 '베드로'라는 기독교 성인을 그린 그림이다.

작품에 인물명이 문자로 쓰여 있다면, 물론 누구를 그린 것인지 알 수 있다. 하지만 이 장의 서두에서도 기술했듯 옛날 미술은 '시각적으로 정보를 전달하는' 역할을 맡고 있었다. 그래서 '그 인물이 누구인지'를 보는 사람에게 전달하는 부호가 탄생했다. 베드로라고 하면, 둥근 얼굴의 노인, 흰 수염, 완고한 표정이라는 요소가 그에 해당한다. 또한 성서에는 베드로가 예수에게서 '천국의 열쇠'를 받았다는 이야기가 나오기 때문에 열쇠도 베드로의 부호가 된다.

이런 개체 인식을 위한 '속성'이나 속성을 나타내는 '기호적 요소'를 '어트리뷰트Attribute'라고 한다. 이런 '어트리뷰트'나 앞에 해설한 '상징' 또는 '알레고리'가 가진 의미를 해독하는 학문을 '도상학(이코노그래피 Iconography)'이라고 한다.

1200년이라는 시간을 넘어 그려진 〈성 베드로〉

6세기
시나이반도

1825년경
고야의 작품

속성 1
완고한
표정

속성 2
노인

속성 3
흰 수염

속성 4
열쇠
다발

〈성 베드로〉
6세기 시나이반도에서
그려진 성화

프란시스코 고야
〈참회하는 성 베드로〉
1825년경, 필립스 컬렉션, 워싱턴

'상징'(22쪽)이나
'알레고리'(24쪽),
그리고 '어트리뷰트'의 의미를
해독하는 학문을
'도상학(이코노그래피)'이라고 해

그림을
해석할 줄 알면
다양한 사실을
알 수 있어. 재밌겠네!

07 왜 그 그림을 그렸을까?

회화가 성립된 사회적·정신적 배경을 살펴본다

'도상학(이코노그래피)'으로는 그 그림이 '무엇을 그렸는지' 알 수 있다. 하지만 미술사에서는 '그 그림을 왜 그렸는지를 생각하는 것'이 가장 중요하다. 이를 위해 20세기 초반 파노프스키Erwin Panofsky라는 미술사가가 제창한 '도상해석학(이코놀로지Iconology)'을 살펴보자.

'도상해석학'은 두 단계에 걸쳐 작품을 분석한다. 먼저 전 단계의 도상해석학은 '특정 도상의 성립 과정과 그 배경'을 본다. 예컨대 특정 도상에 동물이 그려져 있다면, 작품이 그려진 지역이나 시대에서 그 동물이 어떤 성질로 인식되는지 조사한다. 그리고 그 동물이 등장한 신화 등이 어떤 영향을 끼쳤기에 도상이 형성되었는지도 살펴본다. 즉, 도상이 어떤 요소에서 생겨나 만들어졌는지를 분석하는 것이다.

다음으로 후 단계의 도상해석학은 '특정 도상을 선택한 사회적·정신적 배경'을 본다. 예컨대 19세기 이탈리아 화가 미켈레 캄마라노 Michele Cammarano의 〈노동과 나태〉라는 작품이 있다. 그 그림에는 길에 선 검은 중절모를 쓴 남성과 농장에서 일하는 많은 사람이 그려져 있다. 또한 일하는 이들 중 한 사람은 손을 멈추고 이쪽을 보고 있다. 이 그림이 그려진 시기는 산업 혁명을 계기로 자본가와 노동자의 계급 격차가 벌어진 시대이다. 손을 멈추고 이쪽을 보는 남자는, 그림을 보는 사람에게 그 계급 격차를 호소하고 있는 것이다. 이렇게 특정 주제가 선택된 것에는 그 시대와 지역의 사회적·정신적 배경이 있다. '도상해석학'은 이를 풀어내는 학문이다.

미술사에서는 '그 그림을 왜 그렸는지'가 가장 중요하다

미켈레 캄마라노
〈노동과 나태〉
1863년경, 카포 디 몬테 미술관,
나폴리

원 포인트

보는 사람에게 '산업 혁명'으로 생겨난
계급 격차의 부조리를 호소하고 있다

도상학
(이코노그라피)

그 그림이 무엇을 그렸는지
상징이나 어트리뷰트, 알레고리가 가진
의미를 해석한다

도상해석학
(이코놀로지)

그 그림을 왜
그렸는지 분석한다

전 단계의
도상해석학

도상의 성립 과정과
그 배경을 살펴본다
(도상이 어떤 요소에서 생겨나
어떤 영향을 받아 형성되었는지)

후 단계의
도상해석학

도상을 선택한
당시의 사회적 · 정신적
배경을 살펴본다
(그 그림에 무엇을 원했는지)

08 '언제 어디서 누가 그린 작품인지'를 특정하는 방법

세금 신고 서류나 유산 목록, 세례자 명부가 실마리

미술 작품을 '언제 어디서 누가' 제작했는지 확정하려면 몇 가지 단계를 밟아야 한다. 먼저 작품에 화가 본인이 서명하고 제작 연도를 기재한 경우에는 당연히 그 정보가 최우선이 된다.

하지만 작품에 정보가 적혀 있지 않은 경우도 있다. 그럴 때 화가 서명 다음으로 신뢰성이 높은 정보는 계약 서류 등의 기록 자료다. 지금도 옛날도, 유럽은 계약 사회라서 놀랄 정도로 많은 서류가 남아 있다. 당시 왕후 귀족의 편지에는 작품을 의뢰하거나 재촉하는 내용이 담겨 있고, 정부나 교회가 주문했다면 계약 서류가 남아 있는 경우도 있다. 그 밖에 세금 신고 서류나 유산 목록 등도 귀중한 정보원이다. 그 서류들은 대개 공문서관에 보관되어 있고, 교회의 세례자 명부를 통해 화가의 생몰년을 알 수 있을 때도 있다.

동시대 혹은 후대의 사람들의 일기나 연대기에도 많은 미술 작품 정보가 남아 있다. 다만 그 정보들은 소문을 기재한 경우도 많으니 다룰 때 주의해야 한다.

그런 문헌 자료가 일체 남아 있지 않은 경우 '소재나 안료 사용 경향', '주제 선택 경향'을 살펴보고 판단한다. 소재나 안료, 그림 주제에는 지역이나 시대의 유행 또는 제약이 담겼기에 그림 정보를 특정할 실마리를 얻을 수 있다. 마지막 수단은 '양식 분석'이다. 이는 특정 작가의 진필임이 100% 확실한 작품을 '기준작'으로 두고, 그 작품과 상세히 비교 고찰해 누가 언제쯤 그린 작품인지를 특정하는 방법이다.

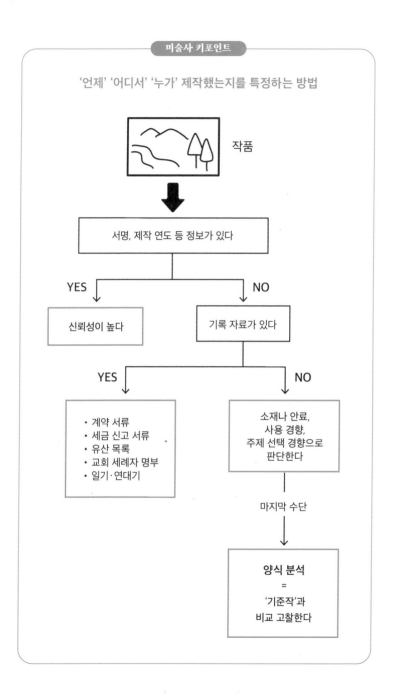

미술사 키포인트

'언제' '어디서' '누가' 제작했는지를 특정하는 방법

작품

서명, 제작 연도 등 정보가 있다

YES → 신뢰성이 높다

NO → 기록 자료가 있다

YES
- 계약 서류
- 세금 신고 서류
- 유산 목록
- 교회 세례자 명부
- 일기·연대기

NO
소재나 안료,
사용 경향,
주제 선택 경향으로
판단한다

마지막 수단

양식 분석
=
'기준작'과
비교 고찰한다

09 중세 유럽 회화에 서명이 거의 없는 이유는?

우상 숭배를 금지한 기독교

유럽 화가들은 14세기 프로토 르네상스(14세기는 중세로 분류되지만, 이탈리아에서 단테 등 몇몇 작가가 고대 로마 문학을 발굴하며 인간 세계에 다시 눈을 돌리기 시작했기 때문에 르네상스의 준비 단계인 '프로토 르네상스'로 파악하는 시점도 있다) 이후부터 자신의 작품에 서명하기 시작했다. 그 전인, 이른바 중세라 불리는 시대에는 서명하는 경우가 거의 없었기에 작자를 특정하기란 매우 어렵다.

중세 유럽 회화에 서명이 거의 없는 이유는 기독교가 우상 숭배를 금지했기 때문이다. 기독교는 유일신을 믿는 일신교다. 일신교에서는 유일신을 다른 신과 비교할 필요가 없으므로 유일신에게는 이름이 없다. 어떤 구체적인 형태를 만들어버리면 비교 대상이 생겨나기 때문이다.

하지만 글을 읽을 수 없는 사람이 많던 시대였기 때문에 글로 기독교를 포교하거나 교의를 설명하는 데는 한계가 있었다. 그래서 처음에는 직접 신을 그리지 않고 물고기(기독교 상징) 등을 이용했다. 다음으로 성모자상 등을 통해 기독교를 포교하려 했다. 그때 그림들은 그림 너머에 있는 신앙 대상을 숭배하기 위한 '창'이 되었다.

즉, 그림 그 자체는 실체가 아니라 신앙심을 높이기 위한 '성스러운 용기'에 지나지 않았기 때문에 화가의 개성을 발휘할 장소가 아니었다. 또한 '우상 숭배 금지'라는 원칙에 따라 그림 주제를 정하는 데도 다양한 제약이 있어서, 많은 상징이나 우의화가 생겨났다.

중세 유럽 회화에 서명이 적은 이유

기독교 = 우상 숭배 금지

글을 읽을 수 없는 사람을 위해 그림이 필요

 원 포인트

회화는 우상이 아니라 그 너머에 있는 신앙 대상을 숭배하기 위한 '창'

미상의 채식 필사본 화가가 그린 〈《켈즈의 서》 성모자상〉
8세기, 트리니티대학 도서관, 더블린, f.7v. 《켈즈의 서》는 라틴어로 제작된 아일랜드의 복음서 필사본으로, 이 책에 실린 성모자상은 현존하는 서유럽 최고(最古)의 성모자상이다)

작품은 제작자의 개성을 발휘하는 장이 아니기 때문에 서명은 필요하지 않았다

10 투탕카멘의 황금 가면이 무표정인 이유는?

일신교에서 다신교로 바뀌면서 양식도 함께 변화하다

종교가 예술에 영향을 끼치는 건 기독교권만의 이야기는 아니다. 이해를 돕기 위해, 기원전 14세기 고대 이집트에서 제작된 두 미술 작품을 예로 들어보겠다. 하나는 당시 파라오(왕)였던 아크나톤Akhenaton 의 왕비 네페르티티의 흉상, 다른 하나는 아크나톤의 사위(아들이라는 설도 있다)인 투탕카멘Tutankhamen의 황금 가면이다.

두 작품은 제작 시기가 한 세대 밖에 차이가 나지 않음에도 큰 차이를 보인다. 네페르티티 흉상은 입술 양 끝이 우묵하게 패여 있거나 양 눈 밑이 주름져 있는 등 자연스러운 표정이 잘 묘사되어 개성적이다. 한편 투탕카멘의 가면은 미세한 요철이나 주름 등이 없다. 그래서 무표정하고 개인적 특징이 거의 보이지 않는다.

이 차이는 종교가 바뀌면서 나타났다. 고대 이집트는 다신교였는데, 그 신들 중 하나가 파라오였다. 하지만 아크나톤은 아톤만을 유일신으로 믿는 일신교로 변혁을 강행했다. 그 결과 파라오나 왕비는 그저 하나의 인간이 되었다. 인간이라면, 초상은 그 사람과 닮게 제작되어야 한다. 그래서 '사실성'이 중시되었고, 네페르티티의 흉상은 개성적인 용모를 가지게 되었다.

하지만 투탕카멘 시대에 이집트는 다신교로 돌아왔다. 그러면서 파라오는 다시 신으로 간주되었고, 초상 또한 개성을 살리는 게 아니라 '신이란 이럴 것'이라는 형태를 중시하는 양식으로 돌아온 것이다.

투탕카멘 시대, 파라오는 '신'이 되었다

네페르티티의 흉상(일신교 시대)

양 눈
밑 주름

우묵하게
패인 입술
양 끝

파라오는
한 인간

↓

개성적이라 좋다

〈네페르티티의 흉상〉
기원전 1345년경,
신 박물관(Berlin New Museum)
베를린

투탕카멘 황금 가면(다신교 시대)

요철이나
주름이
없음

파라오는 신

↓

신다워서 좋다

〈투탕카멘 황금 가면〉
기원전 1323년경,
이집트 고대학 박물관
카이로

11 예술 활동에 돈을 지불하는 '후원자'는 누구였을까?

도시국가의 시민 → 황제 → 군주·교회 → 부유한 상인으로 변화

미술 작품이 존재하는 데 경제적 측면을 무시할 수 없다. 근대 이전의 미술 작품은 기본적으로 '발주자가 먼저 발주하고 금전을 받은 예술가가 작품을 만드는 공정'을 통해 제작되었다.

예술 활동에 금전을 지불하는 사람을 '후원자(패트론Patron)'라고 한다. 고대 그리스에서 후원자 역할을 맡은 존재는 도시국가의 시민들이다. 그리스 수도 아테네에는 기원전 5세기에 세워진 〈파르테논 Parthenon 신전〉이 있다. 이 신전은 아테네 시민들이 세웠다.

그리스 다음으로 지중해 세계를 제패한 나라는 로마다. 4세기에 완성한 〈콘스탄티누스 황제 개선문Arch of Constantine〉을 필두로, 로마 제국의 예술은 대부분 황제가 후원자가 되어 완성한 것이다.

4세기 말 로마 제국은 동서로 분열했고, 서로마 제국이 멸망하자 유럽에는 군주제 국가가 여럿 생겨났다. 그 국가들은 모두 기독교를 국교로 삼았다. 이로써 후원자는 군주와 교회가 되었다.

14세기 이탈리아에서 시작된 르네상스를 지탱한 존재는 부유한 상인층이었다. 그들은 직종마다 '길드' 조합을 만들었고, 이것이 새로운 후원자가 되었다. 예컨대 도나텔로Donatello의 조각 〈성 게오르기우스 Saint Georges〉를 발주한 것은 병기 제조업자 조합이었다. 그 후 산업 혁명이 일어나자 부유한 시민이 후원자가 되었고, 현대에는 기업이 그 역할을 담당하고 있다.

후원자의 변화

예술 활동에 돈을 지불하는 사람 **=** 후원자

고대 그리스의 후원자 **=** 도시국가의 시민

〈파르테논 신전〉
기원전 447-기원전 432년, 아테네

로마 제국의 후원자 **=** 황제와 귀족

〈콘스탄티누스 황제 개선문〉
315년 완성, 로마

중세 후원자 **=** 여러 국가의 군주와 교회

르네상스에 등장한 새로운 후원자 **=** 새로운 상인층

도나텔로 〈성 게오르기우스〉 1416년경,
바르젤로 국립 박물관(Museo Nazionale del Bargello),
피렌체

12 '르네상스 원근법'과 '평행 원근법'의 차이

같은 원근법이라도 이렇게나 다르다

미술 작품에 사용하는 기법은 '작품을 보는 방법'에 따라 달라진다.
그 예로 〈헤롯왕의 향연Banchetto di Erode〉과 〈잇펜쇼닌덴에마키一遍上人
伝絵巻〉를 비교해보자.

〈헤롯왕의 향연〉은 르네상스 원근법이 최초로 적용된 시기의 한 예
로 알려진 작품이다. 원근법을 극단적으로 강조하고 있어, 화면 안쪽
으로 향하는 직선은 모두 화면 중앙의 한 점으로 모인다. 이를 중앙
소실점이라 하는데, 이런 원근법을 '투시 원근법'이나 '선 원근법' 또는
'르네상스 원근법'이라 부른다.

한편 가마쿠라 시대의 승려 잇펜一遍의 생애를 그린 〈잇펜쇼닌덴
에마키〉에는 그런 소실점이 없다. 화면 속 주요 평행선들은 쭉 평행의
관계를 유지한다. 이런 원근법을 '평행 원근법'이라고 한다.

이 두 원근법은 우열을 가릴 수 없다. 〈헤롯왕의 향연〉은 일정 폭
으로 한 장면의 구획을 정하기 때문에 장면 속에 '양 끝'과 '중앙'이
있다. 감상자는 각 장면의 중앙에 서서 그 벽화를 응시하게 된다. 그
래서 중앙을 강조하는 원근법을 선택한 것이다.

하지만 왼쪽 두루마리부터 종이를 펼치고, 오른쪽 두루마리로 감
으면서 왼쪽부터 순서대로 감상하는 〈잇펜쇼닌덴에마키〉는 '중앙'과
'양 끝'에 대해 차이가 그다지 없다. 이렇게 쭉 옆으로 그림이 계속되
는 경우, 평행 원근법으로 그리는 쪽이 보기 쉬울뿐더러 적합하다.

감상자가 보는 방법에 따라 그리는 방법도 바뀐다

〈헤롯왕의 향연〉 = 르네상스 원근법

중앙소실점

끝　　　중앙　　　끝

원 포인트

벽화나 벽에 걸린
그림을 중앙에 서서
바라본다. 가까이는
크게, 멀리는 작게
그려 가운데로
모이는 게 느껴진다

마솔리노 다 파니칼레(Masolino da Panicale) 〈헤롯왕의 향연〉
1435년, 카스틸리오네 올로나(북이탈리아), 예배당 남쪽 벽

〈잇펜쇼닌덴에마키〉 = 평행 원근법

〈잇펜쇼닌덴에마키 권제7〉 (부분)
1299년, 도쿄국립박물관, 일본

원 포인트

손으로 펴 순서대로 감상하는 두루마리
그림. 연속하는 장면을 그리거나, 내부
구조를 파악하는 데 적합하다

13 종교적인 이유로 회화 기법을 변경하는 경우도 있다

만테냐는 왜 발을 작게 그렸을까?

2차원 평면에 3차원 공간을 표현하기 위해 원근법은 꼭 필요한 기법이다. 하지만 종교적인 이유로 원근법이 변경되는 경우도 있다.

15세기 이탈리아 북부에서 활약한 안드레아 만테냐Andrea Mantegna는 〈죽은 예수〉라는 그림을 그렸다. 이 그림 속에서 예수는 두 발바닥을 감상자 쪽으로 보여주는 모양으로 누워 있다. 예수의 발끝부터 그림을 보는 것 같은 현장감이 느껴지는 작품이지만, 잘 보면 위화감이 든다. 같은 포즈로 같은 각도에서 사진을 찍는다면 발바닥은 좀 더 크게, 머리 부분은 더 극단적으로 작아지기 때문이다.

왜 이런 부자연스러운 비율이 되었냐 하면, 만테냐는 예수의 성흔을 감상자에게 보여주고 싶었기 때문이다. 성흔이란 예수가 십자가에 매달렸을 때 받은 상처로, 두 손등과 두 발등 그리고 옆구리에 있다. 누운 예수의 그림에서 이 모든 성흔을 보여줄 방법은 옆에서 보는 구조로 그리거나 만테냐처럼 밑에서 보는 구조로 그리는 방법뿐이다. 게다가 이 그림은 개인적인 기도나 명상을 위해 그려졌다. 가능하다면 감상자가 예수와 곧바로 대면하는(정면에서 마주하는) 형태이고 싶은 것이다.

그러려면 만테냐의 방식이 적합하다. 요컨대 예수와 마주하고 싶고, 성흔도 중요하다는 모순적인 두 가지를 양립시키기 위해 이런 그림을 그린 것이다. 이 구조를 올바른 원근법으로 그리면, 발바닥이 너무나 커지게 되어 예수의 신체 상당한 부분을 가리게 되므로 일부러 작게 그린 것이다.

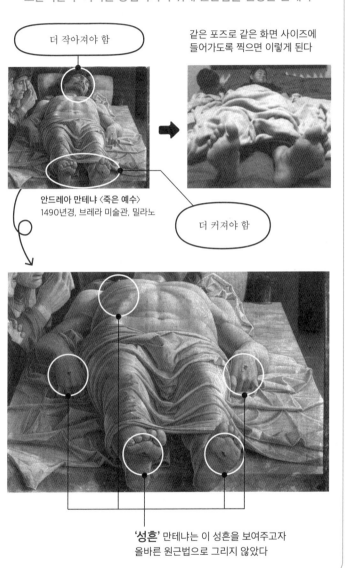

모순적인 두 가지를 양립시키기 위해 원근법을 변경한 만테냐

더 작아져야 함

같은 포즈로 같은 화면 사이즈에
들어가도록 찍으면 이렇게 된다

안드레아 만테냐 〈죽은 예수〉
1490년경, 브레라 미술관, 밀라노

더 커져야 함

'성흔' 만테냐는 이 성흔을 보여주고자
올바른 원근법으로 그리지 않았다

14 무대 배경화는 관객 계층이 달라졌기에 그리는 방법도 바뀌었다

왕을 위한 연극에서 대중을 위한 연극으로 변화한 결과

15세기 르네상스 이후, 연극 무대의 배경에 그리는 무대 배경화가 활발히 제작되었다. 시에나파의 화가이자 건축가인 발다사레 페루치 Baldassare Peruzzi는 무대 배경화의 작가로도 유명했는데, 1514년 로마에서 실제로 연기된 무대의 배경화가 아직 남아 있다. 그 그림은 원근법의 대가라고도 불리는 페루치답게, 중앙에 일점 소실점을 둔 올바른 르네상스 원근법으로 그려져 있다.

페루치의 시대로부터 약 200년이 지나, 볼로냐에서 활약한 갈리 비비에나Galli Bibiena 일가도 많은 무대 배경화를 남겼다. 그들이 제작한 무대 배경화를 보면, 페루치 시대의 작품과는 큰 차이가 생겼음을 알 수 있다.

비비에나 일가가 제작한 무대 배경화에는 페루치의 작품에 있을 법한 일점 소실점이 없다. 그 대신 화면 안에 그려진 직선을 늘려 보면, 좌우 양쪽 화면 밖으로 한 점씩 소실점이 보인다. 이런 원근법을 '2점 투시 원근법'이라고 한다.

페루치 시대에도 2점 투시 원근법이 알려져 있었지만, 당시 연극은 극장 중앙 자리의 정면에서 무대를 보는 왕후 귀족을 위한 것이었다. 따라서 1점 투시 원근법으로 그려진 배경화가 적합했다. 하지만 비비에나 일가 시대에 연극의 주인은 대중이 되었다. 그러자 '감상자를 정면의 1점만으로 한정하지 않는' 2점 투시 원근법으로 그린 배경화가 필요해졌다. 이렇게 사회 구조 변화 또한 그림 기법에 큰 영향을 끼친다.

왕의 시점에서 대중의 시점으로

연극을 보는 사람 = '왕후 귀족'

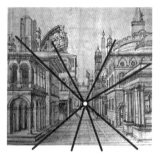

발다사레 페루치 무대 배경화
1514년, 우피치 미술관, 피렌체

정면에서 보는 **'1점 투시 원근법'**

 약 200년 후

연극을 보는 사람 = '대중'

주세페 갈리 비비에나에 귀속, 무대 배경화
18세기 전반, 아카데미아 디 벨레 아티 자료실, 볼로냐

정면의 1점만으로 한정되지 않는 **'2점 투시 원근법'**

15 후세 사람들이 원작을 손보는 건 나쁜 짓일까?

시대에 뒤처져 수정하는 편이 자연스러운 경우도 있다

대다수 사람은 미술 작품을 가능한 한 제작된 시점의 원형대로 보존해야 한다고 생각한다. 후세 사람들이 멋대로 작품을 수정하다니 말도 안 된다고 생각하는 것도 자연스럽다. 하지만 반드시 그게 맞는다고 잘라 말하기는 어렵다.

이탈리아 카마조레Camaggiore의 교회에는 12세기 후반에 제작된 목제 그리스도 십자가상이 있다. 1990년대에 그 십자가상을 수복修復했는데, 그 모습은 세간의 놀라움을 샀다. 오랫동안 눈 감은 모습이던 십자가상을 눈 뜬 상태로 수복했기 때문이다. 정밀 조사 결과, 원래 이 십자가상은 예수의 눈이 떠진 상태로 제작되었지만 13세기에 들어서 눈이 감긴 상태로 수정했다는 사실이 밝혀졌다.

13세기 전반 십자가상을 수정한 이유는 '기존 표현 형식이 시대와 맞지 않다'는 것이었다. 12세기 십자가상은 주로 눈 뜬 '승리자 예수'를 표현했다. 하지만 13세기에 들어서자 눈 감은 '고난의 예수'로 표현하는 게 주류가 되었다. 이런 변화에 따라 조각상을 수정했던 것이다.

하지만 카마조레의 십자가상이 눈 뜨고 있던 시간은 제작 후 불과 50년 정도로, 그 후 약 800년 동안 눈 감은 모습이었다. 사람들에게 이 십자가상은 쭉 눈 감은 예수를 표현한 조각상이었다. 또한 이 수정은 '종교관 변화에 충실히 따랐던' 수정의 귀중한 역사적 증거이기도 하다. 이를 단순히 제작 당시의 모습으로 복구하는 게 옳으냐 하는 것은 정말 대답하기 어려운 문제다.

미술사 키포인트

역사의 흐름 속에서 어떻게 수복하는 게 맞을까?

12세기 후반
제작

약 50년

13세기 전반
수정

약 800년

1990년대
제작 당시의
모습으로 수복

승리자

눈을 뜨고 있는
〈그리스도 십자가상〉
성 조반니 바티스타 교회,
이탈리아

고난

눈을 감고 있는
〈그리스도 십자가상〉

승리자

눈을 뜨고 있는
〈그리스도 십자가상〉

800년 동안
감고 있었는데…

그렇구나!

세계 4대 미술관 ①
루브르 박물관

루브르 박물관은 파리에 있는 프랑스 국립 박물관이다. 소장품은 38만 점 이상으로, 그중 35,000점 정도를 8부로 분류해 전시하고 있다. 연간 방문객 수는 800만 명 이상으로, 세계에서 가장 방문자가 많은 미술관이다. 또한 모든 소장품을 합산한 평가액이 가장 높은 미술관이라는 설도 있다.

루브르 박물관의 건물은 12세기 때 필립 2세가 요새로 건설한 루브르 궁전 부지 내에 있다. 루브르 궁전은 역대 프랑스 왕의 왕궁으로 사용되었는데, 17세기 루이 14세가 베르사유 궁전으로 왕궁을 변경하면서 왕실 미술품 수장고가 되었다. 프랑스 혁명 이후에는 박물관이 되어 1793년에 정식 개관했다.

그 후 나폴레옹 1세가 유럽 전역을 석권하고 여러 나라에서 약탈한 미술품을 본국으로 대량 들여오면서, 루브르 박물관의 수집품은 비약적으로 늘어났다. 그 때문에 나폴레옹 미술관으로 개명되었던 시기도 있다.

그런 루브르 박물관이 소장한 미술품은 서양 미술뿐만 아니라 고대 이집트 미술, 고대 오리엔트 미술, 이슬람 미술 등으로 다양하다. 서양 미술 관련 주요 소장품으로서는 레오나르도 다빈치의 〈모나리자〉, 들라크루아Eugène Delacroix의 〈민중을 이끄는 자유의 여신〉, 베르메르Johannes Vermeer의 〈레이스 뜨는 여인〉 등이 유명하다.

제2부

서양 미술을
더 즐겁게,
명화 보는 법

Jan van Eyck
Jean-François Millet
Gustav Klimt
Raffaello Sanzio
Pablo Picasso
Johannes Vermeer

01 〈토비아와 천사〉, 대부업자의 아들을 그린 그림이 선호받은 이유

금전은 신뢰하는 가족에게만 부탁할 수 있었다

여기서부터는 구체적인 작품을 통해 '이 그림이 왜 그 시대에 그 지역에서 그려졌는지'에 대해 분석해보자. 이른바 '사회를 보기 위한 창'으로 미술 작품을 감상해보는 것이다.

15세기 르네상스 시대, 피렌체 예술가 베로키오Andrea del Verrocchio가 그린 〈토비아와 천사〉라는 작품이 있다. 구약성서의 외전인 '토빗기'에 실린 일화를 주제로 한 그림으로, 아버지의 부탁을 받고 빌려준 돈을 받으러 가는 아들이 대천사 라파엘과 함께 그려져 있다.

이 주제는 르네상스 시대 피렌체나 시에나 등 지역에서 특히 사랑받은 주제로, 수많은 작품이 탄생했다. 이 지역에서는 부유한 상인들이 은행업을 시작하면서 금융업이 부흥했기 때문이다.

당시 돈을 거래하려면 스스로 현금을 운반해야 했다. 그러다 보니 필연적으로 신뢰할 수 있는 가족에게 부탁하게 되었다. 그런 상황에서 대부업자의 아들이 천사의 보호를 받으며 여행을 떠난다는 주제는 더할 나위 없을 정도로 누구에게나 일어나면 좋겠다 싶은 이야기였다.

베로키오의 〈토비아와 천사〉를 잘 보면, 토비아는 르네상스 시대의 부유한 상인이 입을 법한 옷을 걸치고 있다. 동시대의 예술가 보티치니Francesco Botticini 또한 토비아를 그렸는데, '토빗기'에서는 본래 천사가 라파엘 하나만 있을 텐데 셋으로 늘어나 있다. 천사가 하나보다 셋인 편이 더 안전한 여행이 되기 때문이다. 이렇게 〈토비아와 천사〉는 당시 이탈리아의 사회 상황을 짙게 반영하고 있다.

회화를 보면 그 시대의 풍조를 알 수 있다

르네상스 시대
피렌체, 시에나

금융의 중심지

이탈리아

안드레아 델 베로키오 〈토비아와 천사〉
1470-1480년경, 내셔널 갤러리, 런던

프란체스코 보티치니 〈세 대천사와 토비아〉
1470년경, 우피치 미술관, 피렌체

원 포인트

천사가 늘어났다!
가운데는 대천사 라파엘,
왼쪽은 대천사 미카엘,
오른쪽은 대천사 가브리엘

현금을 스스로 운반하는
문화가 있어서
〈토비아와 천사〉를 선호했다

02 〈아르놀피니의 결혼〉에 가득 새겨진 우의

양초, 샌들, 개, 포즈… 모든 것에 의미가 있다

〈아르놀피니의 결혼The Arnolfini Marriage〉은 '신의 손을 가진 화가'라고 칭송받는 15세기 전반 플랑드르파 화가 얀 반 에이크Jan Van Eyck가 그린 작품이다. 이 그림은 당시 이탈리아의 대상인이던 아르놀피니 부부의 결혼을 기념하기 위해 그린 것이어서, 그림 속에는 결혼을 상징하는 우의가 가득 새겨져 있다.

화면 상부에는 양초가 한 자루만 타고 있다. 양초 한 자루는 만물을 비추는 그리스도를 나타낸다. 즉, 신이 이 결혼을 축복한다는 의미다.

화면 하부에는 벗겨진 샌들과 개가 그려져 있다. 샌들은 통상 실외에서 사용하는 신발인데, 그 샌들이 벗겨져 있다는 건 신의 앞에 있다는 것, 즉 여기가 신성한 장소라는 뜻을 나타낸다. 개는 주인에게 충실하기에 예로부터 '충성'을 의미하는 상징이었다. 이 그림 속에서는 부부간의 신뢰, 아내의 남편에 대한 사랑과 정절이 담겨 있다.

그 외, 남편 지오반니 아르놀피니는 왼손으로 아내의 손을 쥐고 오른손을 위로 향하고 있다. 이는 당시 결혼 선언을 나타내는 포즈다. 한편 아내 체나미는 남편에게 상냥한 눈빛을 보내며, 존경을 표하고 있다. 또한 아내의 배는 조금 부풀어 있는 것처럼 보인다. 실제로 임신했거나 임신하고 싶다는 바람을 담은 것이다.

이렇게 〈아르놀피니의 결혼〉은 결혼 기념을 축하한다는 우의로 넘치고 있다.

그려진 사물에는 모두 의미가 있다

한 자루만 타고 있는 양초

만물을 비추는 그리스도를 나타내며, 신의 축복을 의미한다

볼록 거울

부부와 한 쌍의 남녀(결혼의 보증인)가 그려졌고, 주위에는 그리스도의 수난이 배치되어 있다

작가의 서명

'얀 반 에이크 여기에 있음, 1434년'

아내의 시선

상냥한 눈빛은 남편에 대한 존경의 마음을 나타낸다

손이 나타내는 결혼 선언

남편이 아내의 손을 쥐고, 오른손을 위로 올리는 건 당시 **결혼 선언**을 나타내는 포즈(다만 통상적으로는 서로 오른손으로 악수를 한다)

부푼 배

실제로 임신했거나, **자녀에 대한 소망**을 의미

얀 반 에이크 〈아르놀피니의 결혼〉
1434년, 내셔널 갤러리, 런던

벗겨진 샌들

실외에서 사용하는 샌들이 벗겨져 있다. 즉, 여기가 **신성한 장소**라는 것을 의미한다

개

주인에게 충실한 개는 '충성'을 나타내는 상징. 이 그림에서는 부부간의 신뢰와 아내의 남편에 대한 **사랑과 정절**을 나타낸다

03 〈편지를 읽는 푸른 옷의 여인〉, 이 장면은 왜 충격적이었을까?

오늘날에는 아무렇지 않은 광경이지만, 당시에는 선진적인 묘사였다

〈편지를 읽는 푸른 옷의 여인〉은 17세기 네덜란드 화가 페르메이르 Johannes Vermeer가 그린 작품이다. 이 그림에는 평범한 가정의 여성이 편지를 읽는 모습이 그려져 있다. 언뜻 보면 흔한 주제 같지만, 사실 이 모습은 17세기 이전에는 거의 볼 수 없는 광경이자 당시 네덜란드 를 잘 드러낸 주제다.

먼저, 보통 사람이 편지를 주고받는 행위 자체가 17세기 이후에나 있을 법한 일이었다. 그전까지는 왕후 귀족 등이 심부름꾼을 통해 서 간을 주고받는 경우만 있었다. 하지만 17세기에 들어선 후 일반 상인 간 문서 왕래가 늘어나면서 초창기 우편 시스템이 만들어졌다.

더욱이 평범한 가정의 여성이 편지를 읽는 모습은 당시 네덜란드 고 유의 사회 상황을 드러낸다. 서양의 긴 역사에서 일반 대중, 그것도 여 성이 글을 읽고 쓰게 된 것은 매우 최근의 일이다. 하지만 17세기 네덜 란드에서는 상인들이 개인 사업주였기에 일가족을 동원해 사업을 꾸 렸다. 그래서 평범한 집 여성이라도 글을 읽고 쓸 줄 알아야 했다.

평범한 가정의 여성이 우편물, 아마도 연애편지를 읽고 가슴 설 렌다! 지금이야 너무나 당연한 모습이지만, 오늘날과 같은 조건이 갖 춰지기까지는 일어날 수 없던 일이었다.

또한 17세기는 네덜란드가 영국과 함께 세계의 패권을 쥐던 시 대다. 그래서 〈편지를 읽는 푸른 옷의 여인〉의 배경에는 세계 지도가 그려져 있다.

당시에는 선진적인 묘사였던 〈편지를 읽는 푸른 옷의 여인〉

세계 지도

패권을 쥐고 있던
네덜란드의 집답다

요하네스 페르메이르 〈편지를 읽는 푸른 옷의 여인〉
1663-1664년, 국립미술관, 암스테르담

왜 이 그림이
선진적이야?

당시엔 여성 대부분이
글을 읽을 수 없었어

그래서 여성이
편지를 읽는 모습은
매우 선진적이었지

17세기 네덜란드에서는 가족끼리 사업을 했기 때문에
여성도 글을 읽고 쓸 줄 알아야 했다

04 〈원죄 없는 잉태〉, 가톨릭권에 성모 마리아를 숭경하는 그림이 많은 이유

가톨릭과 프로테스탄트의 대립이 만들어낸 성모 신앙의 유행

서양에서는 오랜 세월 로마 교황이 중심이 되는 가톨릭교회가 절대 권력을 누렸다. 하지만 16세기 종교 개혁이 일어나면서 그 권위가 흔들렸다. 가톨릭을 비판한 사람들은 '항거'라는 의미의 '프로테스탄트 Protestant'라고 불렸다. 가톨릭은 신이나 예수 외에도 예수의 어머니인 마리아나 기독교 발전에 큰 공적을 세운 성인 같은 사람들도 신앙 대상에 포함시켰다. 하지만 프로테스탄트는 마리아 숭경이나 성인의 찬양 등은 성서 어디에도 적혀 있지 않다며 강하게 비난했다.

그 결과, 유럽은 가톨릭과 프로테스탄트로 분열했다. 가톨릭 측은 프로테스탄트가 부정하는 요소 중 몇 가지를 더욱 강조한다는 방침을 세웠다. 그중 하나가 성모 마리아 숭경이다. 그래서 가톨릭권에서는 마리아 본인이 신의 의지로 태어났다는 '원죄 없는 잉태'를 주제로 한 회화를 다수 그리게 되었다. 그 대표적 작품이 스페인 화가 무리요 Bartolomé Esteban Murillo가 그린 〈원죄 없는 잉태〉다.

'원죄 없는 잉태'는 기독교에서 아주 예전부터 존재하던 사고방식이지만, 성서에 적혀 있지는 않다. 그래서 가톨릭도 정식으로 인정하지는 않았다. 하지만 종교 개혁이 한창이던 1661년에, 가톨릭은 '이 사고방식은 이단이 아니다'라고 선포한다. 성모 신앙이 두터워지는 편이 가톨릭 자신들에게 유리했기 때문이다. 이렇게 종교 대립이 미술 주제를 유행시키는 경우도 있다.

〈원죄 없는 잉태〉는 이렇게 태어났다

카톨릭	VS	프로테스탄트

마리아나 성인은 공적이 크다!

대립

마리아 숭경이나 성인에 관한 내용은 성서에 없다!

가톨릭

좋아! 마리아를 소재로 한 그림을 늘리자

〈원죄 없는 잉태〉의 탄생

순백색 옷

순결을 강조

초승달

처녀신 아르테미스(달의 여신, 로마 신화의 디아나)의 상징

흰 백합

순결의 상징

바르톨로메 에스테반 무리요 〈원죄 없는 잉태〉
1660년경, 프라도 미술관, 마드리드

05 〈그네〉, 엄청난 배덕감에 처음 의뢰받은 화가는 거절했다

사소한 유희에 숨겨진 배덕의 에로스

〈그네〉는 18세기 프랑스 후기 로코코 회화(140쪽)를 대표하는 화가인 프라고나르Jean-Honoré Fragonard가 그린 작품이다. 그네에서 노는 한 여성과 그 주위에 있는 두 남성을 그린 그림으로, 언뜻 목가적인 풍경으로도 보인다. 하지만 이 그림은 당시 프랑스 귀족들이 자유롭게 연애를 즐기는 문화를 배경 삼아 에로틱한 요소를 가득 새겨 넣은 작품이다.

먼저 화면 중앙에는 천진하게 그네를 타는 여성이 있는데, 그녀의 치맛단은 크게 펄럭이며 다리가 드러나 있다. 게다가 벗겨진 하이힐은 공중을 날고 있다. 벗겨진 하이힐은 어디에도 구애받지 않는 관능의 상징이다.

두 남성 중 하나는 그네에서 노는 여성을 밑에서 올려다보며 그 다리를 즐거운 듯이 응시하고 있다. 그리고 그네를 밀고 있는 다른 한 남성은 바로 기독교 주교다. 금욕해야 할 주교가 남녀의 희롱을 부추기고 있는 부분에서, 이 그림이 지닌 배덕의 에로스가 나타난다. 그 밖에도 배경에는 입술에 손가락을 댄 큐피드의 형상이 있다. 두 사람의 관계가 밖으로 드러날 수 없다는 점을 암시한다.

이 작품을 주문한 생 줄리엥 남작이라는 귀족은 "주교가 흔드는 그네에 자신의 애인이 타고 있는 모습을 그리고, 그녀의 다리를 엿볼 수 있는 위치에 자신을 그려달라"라고 주문했다. 처음 의뢰받은 화가는 그 엄청난 배덕감에 주문을 거절했고, 프라고나르가 대신 그림을 그리게 되었다는 일화가 있다.

배덕감이 만연한 〈그네〉는 로코코 문화의 상징

벗겨진 하이힐   자유분방한 관능의 상징

큐피드의 형상

입술에 손가락을
대며 두 사람의
비밀스러운
관계를 암시

주문자

드레스 밖으로
드러난 여성의
다리를 응시하는
생 줄리엥 남작

장 오노레 프라고나르 〈그네〉
1767년, 월리스 컬렉션, 런던

기독교 주교

그네를 밀며
배덕을 부추김

당시 로코코 귀족들의
자유로운 연애 문화를 그린 작품

06 〈메두사호의 뗏목〉, 다큐멘터리 같은 현실성을 추구하다

실제로 일어난 비참한 사건을 주제로 삼았다

제리코Jean Louis André Théodore Géricault는 19세기 낭만주의를 대표하는 프랑스 화가로, 사회적 주제를 잘 다뤘다. 〈메두사호의 뗏목Le radeau de la Méduse〉이 그 대표적 작품이다. 깊은 바다 한가운데를 표류하는 작은 뗏목 위에 많은 사람이 모여 있고, 그중에는 이미 죽은 사람도 있는 정경을 명암이 강한 색조로 그린, 생생하고 박력이 느껴지는 작품이다.

이 그림은 실제로 일어난 사건을 주제로 그린 것이다. 1816년에 세네갈 근처 바다에서 프랑스 해군이 탄 메두사호가 난파했다. 탑승자 147명은 급조한 뗏목에 간신히 탔지만, 13일 후 뗏목이 발견되었을 때 남아 있는 사람은 불과 15명이었다. 극한에 몰린 뗏목 위에서는 돌림병, 살육, 배를 채우기 위한 식인까지 일어났다.

이 비참한 사건이 일어난 때로부터 2년 후, 제리코는 메두사호의 조난을 주제로 그림을 그리기로 결심했다. 제리코는 조난 생존자를 취재했고, 더욱 현실적인 묘사를 위해 시체나 병자를 몇 번이고 스케치했다.

이런 철저한 준비를 거쳤기에 〈메두사호의 뗏목〉은 단순한 예술 작품에 그치지 않고, 다큐멘터리나 보도처럼 박진감이 넘치는 그림이 되었다.

낭만주의는 고대 그리스·로마 문화를 이상적이라 생각하며 사실적 양식을 추구한 신고전주의에 대한 반발에서 탄생했다. 그들은 강렬한 감정 표현을 추구했고, 역사 속 다양한 사건이나 현실에서 일어난 사건을 주제로 삼았다. 〈메두사호의 뗏목〉도 그 흐름에서 나온 작품이다.

처참한 사건을 사실적으로 그려낸 제리코

1816년 세네갈 근처 바다에서 프랑스 해군의 메두사호 난파

 2년 후

생존자를 취재해 그린 〈메두사호의 뗏목〉 완성

사체 — 생존자 취재로 현실성 추구

식인 사건 — 생존자의 증언에 사람들 경악

테오도르 제리코 〈메두사호의 뗏목〉
1818-1819년, 루브르 박물관, 파리

뗏목을 발견한 전함
뗏목을 발견한 아르귀스호가 저 멀리 작게 그려져 있다

시사 보도 같은 주제를 많이 그린 낭만주의파

07 〈비, 증기, 속도〉, 눈에 보이지 않는 '속도'를 처음으로 그린 작품

엄청난 속도로 돌진하는 철의 괴물을 보고 놀란 감동을 묘사하다

영국의 화가 터너Joseph Mallord William Turner가 1844년 발표한 〈비, 증기, 속도〉는 전체가 흰빛을 띠는 뿌연 그림으로, 잠깐 봐서는 무엇이 그려져 있는지 잘 알 수 없다. 자세히 살펴보면, 화면 오른쪽에는 철교처럼 보이는 무언가가 걸쳐져 있고, 그 철교를 증기기관차가 정면을 향해 달리고 있다. 또한 왼쪽 구석에는 산으로 보이는 것과 고대 양식의 돌다리가 있고, 그 밖에는 지면과 하늘이 펼쳐진 것까지는 파악할 수 있지만 이외에는 명확하지 않다.

이 그림에서 터너는 빗속을 엄청난 힘으로 달리는 기차의 '속도' 그 자체를 그렸다. 실제로는 카메라가 아닌 이상 기차가 달리는 순간을 그리는 것은 불가능하다. 이 작품은 터너가 찰나의 순간에 자기 눈으로 포착한 이미지만을 표현하고 있다. 한순간의 사건이니, 세세한 것까지 보일 리 만무하다. 그래서 필연적으로 일련의 흐름에 따른 '감동'을 이미지화하게 되었다. 자연히 무엇을 그렸는지 알기는 어려워졌지만, 동시에 이 작품은 '속도'를 처음 그려낸 그림으로서 높은 평가를 받고 있다.

19세기 초반 영국에서는 증기기관차가 발명되고, 1840년대까지 철도망이 일정 부분 완성되었다. 터너는 본 적 없는 속도로 돌진하는 철의 괴물에 놀랐고, 그 감동을 묘사하려 했던 것이다. 자신의 감각을 정직하게 한순간 포착한 이미지만으로 묘사한 이 작품 덕에 그는 이후 인상파의 선구자가 되었다.

급속한 근대화를 '속도'로 그리다

19세기 초 증기기관차 등장

본 적 없는 속도로 질주하는 철의 괴물에 놀란 터너

〈비, 증기, 속도〉 발표

나룻배
기관차와의
신구 대비

고대 양식 다리 = '정'과
기관차 = '동'의 대비

불어닥치는 비

조지프 말로드 윌리엄 터너 〈비, 증기, 속도〉
1844년, 내셔널 갤러리, 런던

도망치는 토끼

인간의 힘으로 자연을
정복하는 모습

08 〈이삭 줍는 사람들〉, 밀레가 그린 것은 가혹한 농민생활

목가적 풍경에 숨은 계급 격차의 현실

19세기 프랑스 화가 밀레Jean François Millet의 〈이삭 줍는 사람들Les glaneuses〉은 한국에서도 매우 인기 있는 작품이다. 부드러운 빛에 감싸인 농민들의 소박한 모습을 그린 이 작품은, 우리에게는 옛날 농촌지대의 풍경을 떠올리게 해 사랑받고 있다.

언뜻 보면 목가적 풍경 같지만, 화면을 구석구석 잘 살펴보면 밭이 매우 넓다는 사실을 눈치챌 수 있다. 우리가 상상하는 밭은 좀 더 작고 구획이 나뉜, 경계선 대신 논두렁길이 있는 것이다. 그에 비해 〈이삭 줍는 사람들〉의 밭은 구획 없이 저 멀리까지 펼쳐져 있다. 더 자세히 보면 화면 우측 위에는 멋진 말에 올라탄 사람이 한 명 있다. 그 모습은 눈앞의 농부들이 허리를 굽히고 이삭을 줍는 모습과 대조적이다.

이를 통해 밀레가 이 작품에서 계급 격차라는 주제로 그림을 그렸다는 점을 알 수 있다. 자신의 가족만 먹고살면 되는 작은 밭을 각자 가지고 있던 시대와 다르게, 밀레의 시대는 광대한 농지를 한 명의 대지주가 소유하고 농민을 여러 명 고용해 자신 또는 위탁관리인이 일을 시키며 지휘하는 사회 구조였다. 밀레는 그 가혹함을 고발하고 있다.

수확 후 지면에 떨어진 이삭을 줍는 행위는 옛날부터 가난한 농민에게만 허락되었다. 또한 실제로 해보면 알겠지만, 그림에 나온 자세로 떨어진 이삭을 줍는 건 육체적으로 큰 부담이 된다.

가난하지만 강하게 살아가는 농민의 모습을 그린 밀레

광대한
농지

높이 쌓여 있는 농작물

말에 타 감시하는
지배 계급

장 프랑수아 밀레 〈이삭 줍는 사람들〉 1857년, 오르세 미술관, 파리

이삭 줍기는 가난한 농민들에게 허락된 행위 = 구약성서 '룻기'에 실린 내용

19세기가 되자 농업에도
근대화 바람이 불어,
대지주와 소작농이라는
명확한 계급이 생겼지

밀레는 농민을
많이 그렸어

슬픔은
느껴지지
않네

장 프랑수아 밀레 〈낮잠〉
1866년, 보스턴 미술관, 미국

장 프랑수아 밀레 〈만종〉
1857-1859년, 오르세 미술관, 파리

09 〈풀밭 위의 점심〉, 마네의 도전 정신이 낳은 스캔들 작품

**신고전주의에 반발해 참신한 작품을 발표했지만
좋은 평가를 못 받은 화가**

1863년에 프랑스 화가 마네Edouard Manet가 그린 〈풀밭 위의 점심〉
이 살롱(당시의 미술전)에 출품되자, 큰 비판이 쏟아졌다. 숲에 있는 물
가에서 소풍을 즐기는 남녀를 그린 이 작품에서, 남성은 옷을 입고
있는 데 반해 여성은 벌거벗었다. 이 그림은 창부와의 유희를 연상시
키는 그림이다.

마네는 상류 계급의 사교장이던 살롱에 창부의 그림을 낸 것은 신
중하지 못하다고 비판받았다. 마네 본인이 의도했는지는 상관없이, 그
는 당시 프랑스 미술계에서 지배적이던 미술 아카데미가 제창한 고전
지상주의(142쪽)에 반하는 것 같은 참신한 작품을 잇달아 발표했다.
〈풀밭 위의 점심〉도 그 일환으로 제작된 작품이다.

하지만 그런 마네의 작풍은 대부분 이해받지 못했고, 작품을 발표
할 때마다 스캔들을 일으켰다. 그는 만년에서야 좋은 평가를 받아, 죽
기 2년 전 레지옹 도뇌르 훈장을 받았다. 하지만 그때는 한쪽 발을 절
단할 정도로 큰 병에 걸린 상태였고, 결국 고통스러워하며 사망했다.

인상파가 생기게 된 계기를 제공한 마네였지만, 과거 미술을 모두
부정했던 것은 아니다. 〈풀밭 위의 점심〉에 그려진 인물의 포즈는 르
네상스 시기 화가 라파엘로의 작품을 차용했고, 같은 르네상스기 화
가 티치아노에게도 영향을 받았다. 마네는 옛날 미술의 좋은 점을 받
아들이고, 그 위에 새로운 미술을 만들고자 했다.

새로운 예술을 만들어낸 작품

살롱에서의 성공을 원하던 마네

에두아르 마네

(1832-1883년, 프랑스 출생)

당시 규범에 반하는 작품을 잇달아 그려 비판받다

1863년 〈풀밭 위의 점심〉 발표

전라의 여성과 속옷만 입은 여성

마네의 친구와 남동생

마네의 남동생과 의형제를 맺은 친구가 모델

당시에는 센강 근처로 소풍을 가는 것이 유행했다

에두아르 마네 〈풀밭 위의 점심〉 1863년, 오르세 미술관, 파리

10 〈여성의 세 시기〉, 당시 기독교 교리에 맞춰 그린 작품

서양의 단골 주제, '메멘토 모리'가 바탕에 깔려 있다

19세기 말 빈에서 활약한 클림트Gustav Klimt는 자유로운 표현을 추구해 '빈 분리파'라 불리는 예술 운동을 주도한 화가다. 일본 미술이나 이탈리아 모자이크, 가업인 금세공 기술 등 다양한 장식 기법을 적용한, 눈부시게 아름다운 화풍이 특징이다.

클림트의 대표작 중 하나인 〈여성의 세 시기The Three Ages of the Woman〉에는 제목 그대로 세 여성의 모습이 그려져 있다. 한 명은 아기, 다른 한 명은 그 아기를 안은 젊은 여성, 마지막 한 명은 늙은 여성이다. 아기는 새근새근 잠들어 있고, 젊은 여성은 행복한 듯이 눈을 감고 있지만 늙은 여성은 얼굴을 가리고 슬퍼하고 있다.

이 그림이 의미하는 바는 인생의 덧없음이다. 유아, 젊은이, 노인을 하나의 그림 속에 그려, 태어나고 성장해 청춘을 찬미하다가도 눈 깜짝할 사이에 늙어서 죽어버리는 짧은 생명을 표현하고 있다.

중세 교회에서는 '생명은 짧으니 들뜨지 말고 신심 깊게 살아야 한다'라는 사상을 전파했다. 이를 '메멘토 모리Memento Mori(죽음을 기억하라)'라고 한다. 그 이후, 이를 주제로 한 수많은 회화가 그려졌다.

그중에서도 한 그림에 세 시기를 한꺼번에 그리는 주제는 많은 화가가 선호했다. 16세기 화가 조르조네Giorgione는 〈인생의 세 시기〉라는 작품을 통해 남성의 세 시기를 묘사했다. 19세기 독일 화가 프리드리히Caspar David Friedrich는 사람과 함께 세 종류의 선박을 그려 세 시기를 표현했다.

장식의 마술사가 그린 세 여성이 가리키는 것

구스타프 클림트

자유로운 표현을 추구해
빈 분리파를 주도한 클림트

(1862~1918, 오스트리아 출생)

구슬피 슬퍼하는
늙은 여성

행복해 보이는
젊은 여성

새근새근 잠든
아기

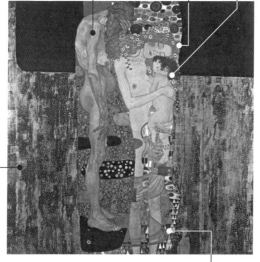

구스타프 클림트 〈여성의 세 시기〉
1905년, 국립 근대미술관, 로마

금박 배경

중세 전통의 부활 또는 일본의
가리노(狩野)파나 린(琳)파의 영향

눈부시게 아름다운 장식

일본 벽지나 텍스타일을 참고했다

클림트가 세 시기를 그린 이유

인생의 덧없음

11 똑같이 과부를 그린 그림인데, 왜 찬반이 나뉘었을까?

어트리뷰트를 그림에 훌륭히 사용한 티치아노

1538년 티치아노Vecellio Tiziano가 그린 〈우르비노의 비너스Venus of Urbino〉와 1863년 마네가 그린 〈올랭피아Olympia〉는 모두 누워 있는 과부를 그린 그림으로, 여성의 포즈부터 전체 구도까지 매우 닮아 있다. 하지만 티치아노의 작품이 발표 당시부터 절찬을 받고 후세에 새로운 미의 규범으로 전해진 데 반해 마네의 작품은 '과부의 나체라니 부도덕하다' 하는 혹평을 받았다. 두 작품은 어떤 차이가 있을까?

먼저 유럽에서는 누드화를 그릴 때 일반적으로 창부에게 모델을 부탁했는데, 〈우르비노의 비너스〉도 실제로는 창부를 모델로 삼았다. 하지만 티치아노는 창부라는 사실을 교묘히 숨기고, 미와 사랑의 여신 비너스라고 주장하기 위한 장치를 몇 개 설치해놓았다. 예를 들어 티치아노의 그림 속 여성은 손에 장미를 들고 있다. 장미는 비너스를 상징하는 어트리뷰트다. 또한 여성의 발밑에는 개가 조용히 잠들어 있는데, 개는 서양에서 사랑과 정절의 상징이다.

한편 마네의 작품에서는 여성이 목에 리본을 달고 있는데, 목에 매단 리본은 당시 창부의 상징이었다. 또한 여성의 한쪽 발에 샌들이 벗겨져 있는데, 이는 순결의 상실을 의미한다. 더욱이 발밑에는 개가 아니라 검은 고양이가 그려져 있다. 고양이는 '자유'의 상징으로, 프랑스어로는 여성의 성기를 나타내는 은어이기도 하다. 마네는 티치아노의 작품을 바탕으로 그림을 그렸지만, 모방하지 않고 창부를 연상시키는 모티브로 치환한 것이다.

둘 다 나체인데 왜 평가가 나뉠까?

티치아노 〈우르비노의 비너스〉

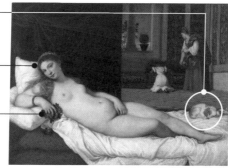

발밑의 개
사랑과 정절의 상징

금발
미인의 조건

장미
비너스의 어트리뷰트

베첼리오 티치아노 〈우르비노의 비너스〉
1538년, 우피치 미술관, 피렌체

마네 〈올랭피아〉

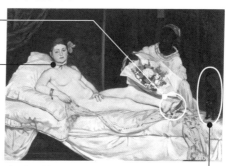

한쪽 발에만 신은 샌들
순결의 상실

목에 매단 리본
이 여성은 〈풀밭 위의 점심〉 (65쪽)에서도 모델을 했다

에두아르 마네 〈올랭피아〉
1863년, 오르세 미술관, 파리

발밑에 앉은 고양이
고양이는 프랑스어로 '여성의 성기'를 가리키는 은어

티치아노 = **여신**을 연상시켰다

마네 = **창부**를 연상시켰다

→ 결정적인 차이

세계 4대 미술관 ②
메트로폴리탄 미술관

미국 뉴욕시 맨해튼 5번가 센트럴파크 동쪽 끝에 자리한 메 트로폴리탄 미술관은 현지에선 '매트Met'라는 애칭으로 친숙한 곳이다. 건물 면적은 약 19만 제곱미터로, 세계에서 가장 큰 미술 관이다.

1776년 독립 이래, 미국에는 오랜 시간 국제적인 미술관이 단 하나도 존재하지 않았다. 그래서 1864년 메트로폴리탄 미술관의 설립을 구상하기 시작했다. 그렇지만 그 시점에서는 미술관의 건 물은 물론, 미술품도 한 점 없었다. 하지만 1870년 개관 후, 기금 을 모아 소장품을 구입하거나 수집가에게 기증받으면서, 소장품 은 순식간에 늘어났다. 오늘날에는 300만 점 정도의 미술품을 소장한 세계 유수의 미술관이 되었다.

메트로폴리탄 미술관의 특색은 최대 규모의 미술관인데도 국 립이나 주립 등 공립 시설이 아니라 사립 미술관이라는 점이다. 또한 입장료는 오랜 기간 '희망액'으로 게시되어 있을 뿐 실질적 으로는 무료다. 다만 2018년 3월 이후 뉴욕 시민 및 뉴욕 근교 주민 외에는 입장료를 의무적으로 지불해야 한다.

서양 미술 소장품으로는 베로키오의 〈성모자상〉, 다비드Jacques Louis David의 〈소크라테스의 죽음〉, 고흐의 〈사이프러스가 있는 밀밭〉, 고갱의 〈타히티의 여인들〉 등이 유명하다.

제3부

서양 미술의 '기법', '장르 구분'을 배우다

Jan van Eyck

Jean-François Millet

Gustav Klimt

Raffaello Sanzio

Pablo Picasso

Johannes Vermeer

01 '미의 추구'와 '비용', 모순적인 두 가지를 어떻게 양립시킬까?

'미적 추구'와 '경제 원리' 대립의 역사

미술 기법에는 모자이크, 프레스코, 템페라, 유채 등 다양한 기법이 있다. 이 기법들은 '어떻게 아름답게 할 것이냐'는 목적(미적 추구)과 '어떻게 저렴하게 할 것이냐'는 필요성(경제 원리)이라는, 때로는 모순적인 두 요소가 복잡하게 얽히면서 변화하고 발전해왔다.

피라미드나 시황제릉 등 거대한 건축물을 짓던 고대 군주들은 절대 권력을 가지고 있었다. 따라서 예술에서도 경제성을 그다지 따지지 않았고, 미적 추구에만 관심을 보였다. 그래서 비용은 들지만 가장 색채가 아름답고 퇴색되지 않는 색이 물든 돌을 벽에 붙이는 모자이크가 자주 사용되었다.

다만 모자이크는 비용이 정말 많이 든다. 그래서 고안된 기법이 색 있는 돌을 잘게 부숴 가루(안료)로 만들어 얇게 펴 바르는 프레스코다. 이 기법으로 비용은 크게 내려갔다.

하지만 프레스코는 짧은 시간 안에 그려야 한다는 약점이 있었다. 또한 기본적으로 모자이크나 프레스코는 벽화를 그릴 때 사용되는 기법이다. 평범한 집에 벽화를 그릴 만한 거대한 벽은 존재하지 않기 때문에 이 기법들로 작품을 만들 수 있는 건 군주나 교회 등으로 한정되었다. 그래서 좀 더 저렴하고 다루기 쉬운 나무판에 그림을 그리게 되었고, 달걀에 안료와 아교 고착제를 섞는 템페라가 등장했다. 그 후 달걀 대신 기름을 사용하는 유채가 고안되었다. 기재 또한 나무판보다 더 가벼울뿐더러 다루기 쉽고 저렴한 캔버스(화포)가 사용되었다.

미술 기법은 이렇게 발전했다

어떻게 아름답게 할까?   두 가지 모순   어떻게 저렴하게 할까?

↓

미술 기법의 발전으로 이어지다

모자이크

아름답지만 비용도 든다

 더 저렴하게

'모자이크'의 예

〈테오도라 황후〉(부분)
547년, 성 성 비탈레 성당
라벤나

프레스코

비용은 내려가지만 짧은
시간 안에 그려야 한다

 벽화가 아니면
어떻게 할까

'프레스코'의 '조르나타' 예

마사초가 작업한
브란카치 예배당 벽화 중 한 장면
Evelyn Welch, Art and
Society in Italy 1350-1500,
Oxford and New York, 1997.

템페라 + 나무판

안료와 아교를 달걀에
섞어 나무판에 그린다

'템페라 + 나무판'의 예

필리포 리피
〈성모자와 두 천사〉
1465년경, 우피치 미술관, 피렌체

유채 + 캔버스

달걀 대신 기름을 사용해
캔버스(화포)에 그린다

'유채 + 캔버스'의 예

아렌트 더 헬더르
〈노부인의 초상화를
그리는 자화상〉
1685년, 주립 미술관,
프랑크푸르트

02 발색이 좋고 퇴색되지 않는 '모자이크화'

비용이 많이 드는 게 최대 단점이다

모자이크란 원래 색이 든 돌을 그 채로 벽에 붙이는 기법이다. 사방 1센티미터 정도의 작은 큐브(테세라Tessera) 모양을, 작업자는 이인 일조를 이루어 한 사람은 필요한 색깔의 테세라를 건네주고, 다른 한 사람은 막 회반죽을 바른 벽에 그 테세라를 메꾸는 형태로 제작했다.

모자이크의 장점은 색채 원료를 가루로 만들지 않고 통째로 사용하기 때문에 안료의 입자도 밀집된 상태를 유지해 발색이 강하고 선명하다는 점이다. 또한 잘 퇴색되지 않는다. 퇴색은 기본적으로 햇빛 때문에 일어나는데, 모자이크는 밀도가 높고 입자에 햇빛이 닿는 면적이 작아서 색이 거의 바래지 않는다. 1500년 가까이 된 옛날 모자이크화가 제작 당시의 반짝거림을 유지하는 이유기도 하다.

약점은 지진 등의 흔들림에 약하다는 점이다. 테세라는 벽에 반절 정도 메꿔질 뿐이라서, 조금 강하게 흔들리면 떨어져버린다. 게다가 얇은 선을 그리려고 해도, 테세라를 나열해 선을 그리기 때문에 매우 정밀한 묘사는 불가능하다.

이보다 더한 약점은 비용이 너무 많이 든다는 점이다. 색채 원료가 되는 색이 물든 돌을 그대로 사용하는 기법은 가루로 만들어 얇게 발라 사용하는 다른 기법과 비교했을 때, 같은 양의 원료로 그릴 수 있는 면적이 매우 다르다. 그러다 보니 시대가 바뀌면서 모자이크는 서서히 모습을 감췄다. 다만 이탈리아의 라벤나 등에는 수많은 명작 모자이크화가 남아 있다.

주문자가 엄청난 재력을 보유하고 있어서 그릴 수 있던
'모자이크화'

벽

색이 든 돌을
작은 큐브(테세라)로
만들어 벽에 메꿨어

〈선한 양치기〉
5세기 중반, 갈라플라키디아 묘당, 라벤나

장점	단점
• 발색이 강하고 선명 • 색바램이 거의 없다	• 지진에 약하다 • 세밀한 묘사를 할 수 없다 • 비용이 너무 많이 든다

03 모자이크화보다 부착력이 좋고 세밀한 조형이 가능한 '프레스코화'

수정할 수 없어 단시간에 단판 승부를 내는 기법

프레스코는 색이 든 돌 등의 색채 원료를 잘게 부숴서 가루로 만들고, 그 가루를 물에 갠 후 회반죽을 얇게 바른 벽이나 천장에 붓으로 안료를 물들이듯 그리는 기법이다. 그림을 그리는 바탕 재료가 벽이나 천장이다 보니, 지진 등에는 물론 약하더라도 안료가 마를 때는 벽과 한 몸이 된다. 그래서 프레스코는 모자이크보다 부착력이 좋고, 붓으로 그리기 때문에 세밀한 조형을 할 수 있다. 유럽 교회나 궁전에 남아 있는 벽화 대다수는 이 프레스코 기법으로 그린 것이다.

단점은 회반죽이 마를 때까지의 그 짧은 시간 안에 그림을 전부 그려야 한다는 것이다. 프레스코는 영어로 '신선'을 의미하는 '프레쉬 Fresh'와 거의 동일한 의미로, 회반죽이 '신선'한 사이에 그려야 한다.

또한 한 번 바른 안료는 벽과 한 몸이 되기 때문에 다시 바를 수 없는 점도 큰 제약사항이다. 회반죽이 마른 후에도 아교 등의 고착제로 보완할 수는 있지만, 잘 부착되지 않기 때문에 시간이 흐르면 떨어져 버린다. 회반죽이 마른 후에 진행하는 보완은 '말랐다'는 의미의 '프레스코 세코Fresco Secco'라 하고, 습한 상태에서 진행하는 작업은 '좋다, 옳다'라는 의미의 '부온 프레스코Buon Fresco'라고 지칭해 구별했다.

프레스코 기법으로 하루에 작업할 수 있는 범위를 '조르나타 Giornata(하루치 작업량)'라고 한다. 큰 벽화는 몇 개의 조르나타로 구분해놓고 그려갔다. 프레스코를 잘 보면 회반죽이 겹치는 부분이 있는데, 이를 보면 조르나타의 순서도 알 수 있다.

다시 칠할 수 없어 화가의 '손'이 시험대에 오르는 '프레스코화'

벽이나 천장

색이 물든 돌을 가루로 만들고, 물에 개어 **벽이나 천장에 바른 회반죽**에 칠했어

조토 디 본도네 〈**최후의 심판**〉 (부분)
1300-1305년경, 스크로베니 예배당, 파도바

장점	단점
• 잘 부착된다 • 붓으로 세밀한 조형이 가능	• 회반죽이 마르기 전에 빠르게 그려야 한다 • 다시 칠할 수 없다

04 저비용에 수정도 쉽다! 많은 걸작이 탄생한 '템페라화'

습도에 따라 휘어버리는 곤란한 점도 있다

모자이크나 프레스코 기법으로 그리는 벽화는 일부 유복한 사람만의 전유물이었다. 하지만 더욱 폭넓은 계층에서 미술품을 찾게 되자, 다루기 쉬운 저렴한 나무판에 그림을 그리게 되었다.

벽과 다르게 나무판에는 회반죽을 사용할 수 없기에 안료 가루를 나무판 표면에 정착시키기 위해 '고착제'라는 것을 사용한다. 고착제에는 주로 토끼 등에서 얻은 아교를 사용했다. 이 고착제와 안료를 섞기 위해 달걀을 사용한 것을 템페라라고 한다.

나무판은 쉽게 손에 넣을 수 있었기 때문에 템페라 기법은 회화 제작 비용을 더욱 절감시켰다. 프레스코와 달리 급하게 작업할 필요가 없는 것도 이점이다. 붓으로 그리기 때문에 세밀한 조형도 할 수 있고, 어느 정도라면 다시 칠할 수 있는 점도 예술가에게는 매력적이었다. 르네상스기에는 보티첼리의 〈봄〉이나 리피Fra Filippo Lippi의 〈성모자와 두 천사〉 등 나무판에 템페라로 그린 걸작이 다수 제작되었다.

하지만 나무판은 습도 같은 요소들 때문에 서서히 휘기 시작한다. 너무 휘어버리면 위에 칠한 안료층 사이에 틈이 생기기 시작해, 심할 경우 박리되기도 한다. 또한 벽보다는 다루기 쉽더라도 목재는 무겁고 운반하기 어렵다.

그래서 유채 + 캔버스(화포) 조합이 정착하기 시작하자, 템페라 + 나무판 조합은 점점 쇠퇴했다. 다만 현대에도 기법으로는 남아 있다.

다시 칠할 수 있어 급하게 그리지 않아도 되는 '템페라화'

나무판

아교에 달걀을 섞었어

산드로 보티첼리 〈봄〉
1482년경, 우피치 미술관, 피렌체

장점	단점
• 나무판은 입수하기 쉽다 • 제작 비용이 저렴하다 • 급하게 그리지 않아도 된다 • 덧칠 가능	• 판은 휘기 쉬워서 안료가 박리되는 경우도… • 목재는 무거워서 운반하기 어렵다

05 비용, 조형, 수정…
다양한 면에서 강점이 큰 '유채화'

'유채' + '캔버스(화포)' 회화의 표준 탄생

일반적으로 유화라고도 불리는 유채화는 15세기 초반 네덜란드에서 고안되었다. 특히 반 에이크 형제가 그 개발에 지대한 공헌을 했다. 템페라가 안료와 아교를 섞는 데 달걀을 사용한 반면, 유채에서는 달걀 대신 기름을 사용했다. 그 밖에 물감에 차이는 없어서, 템페라와 유채는 형제 같은 관계라고도 한다.

유채의 장점도 템페라와 기본적으로 비슷하지만, 유채가 조금 더 다시 칠하기 쉽고 그러데이션 등 섬세한 표현을 하기 쉽다는 특징이 있다. 한편 달걀보다 기름이 더 변색되기 쉽고, 마지막에 광택과 보호를 위해 표면에 바르는 니스 또한 변색되기 때문에 시간이 지나면서 발색이 탁해지는 것이 유채의 단점이다. 그럼에도 가벼운 무게와 비용 때문에 점점 유채가 템페라보다 우세하게 되었다.

한편 초기 유채는 템페라처럼 나무판에 그렸다. 하지만 베네치아에서는 나무판이 아니라 캔버스(화포)에 템페라로 그리는 화가가 나타났다. 화포는 나무판보다 가볍고 다루기 쉬우며, 가격도 훨씬 저렴하다는 장점이 있다. 또한 나무처럼 휘어서 물감층과 박리되는 경우도 없다.

머지않아 화포를 사용하는 화가가 늘어나며, 17세기 네덜란드에서는 유채 + 화포 조합이 정착했다. 당시 네덜란드 상인들은 자택을 꾸미는 그림에 나무판보다 가벼운 화포와 비용이 낮은 유채라는 조합을 선호했고, 이후 이 조합이 회화의 표준이 되었다.

회화 표현에 혁신을 불러온
'유채화'

나무판에서
캔버스(화포)로

템페라화는
아교 + 달걀인데…

유채화는
아교 + 기름이라서
마무리할 때 표면에
니스를 발라

에드가 드가 〈연습실의 두 무용수〉
1877년, 메트로폴리탄 미술관, 뉴욕

<table>
<tr><td align="center">장점</td><td align="center">단점</td></tr>
</table>

장점	단점
• 템페라화보다 다시 칠하기 더욱 쉬움 • 그러데이션 등 섬세한 표현 가능	• 시간이 지나면 기름과 니스가 변색되어 발색이 탁해짐

06 빠르게 마르고 담색이나 투명도가 높은 색에 강점을 가진 '수채화'

19세기 영국에서 투명 수채 물감이 개발되며 발전하다

물에 엷게 녹인 안료로 그리는 수채는 템페라나 유채와 달리 빠르게 마르는 성질이 있어, 담색이나 투명도가 높은 색을 표현할 수 있다는 장점이 있다. 그래서 대기나 물 등 섬세한 표현이 필요할 때 적용한다.

수채는 회화 기법 역사가 길어, 구석기 시대 동굴 벽화에서도 찾아볼 수 있다. 하지만 오랫동안 서양 미술에서 주류를 차지하지 못했고, 르네상스 시기에는 스케치나 모사를 그릴 때 사용되는 등 조연 같은 존재였다.

그런 수채가 눈부신 발전을 이룩한 곳은 19세기 영국이다. 당시 신흥 중산층은 국내 여행을 즐기게 되었다. 그들이 여행 기념사진 대신 수채로 그림을 그린 저렴한 '자연 풍경화'를 구매하면서 수채가 보급되었다. 또한 글리세린이 발명되어 장기적으로 보관할 수 있는 투명 수채 물감이 개발된 것도 수채가 유행한 이유 중 하나였다.

자연 풍경화의 일인자이던 윌리엄 터너Joseph Mallord William Turner는 수채화 기술을 더욱 발전시켰다. 터너는 후년에는 유채화를 그렸지만, 그때도 수채 기법을 적용했다. 또한 시인이자 화가이던 윌리엄 블레이크William Blake는 환상적인 수채화를 많이 남겼다.

수채는 유채와 다르게 그림을 아예 수정할 수 없으므로 색채 감각이 필요하다. 하지만 빠르게 마르기 때문에 시간이 한정된 야외에서 제작할 때 적합하다.

빠르게 마르는 성질이 있어 야외 스케치에 즐겨 쓰인 '수채화'

19세기 영국에서 발전했어

글리세린이 발명되면서 장기 보존이 가능한 투명 수채 물감이 개발되었지

조지프 말러드 윌리엄 터너
〈카나번성의 조망〉
19세기 전반, 개인 소장

장점	단점
• 담색이나 투명도가 높은 색을 표현할 수 있다 • 물이 있으면 쉽게 그릴 수 있다 • 야외 제작에도 적합하다 • 빠르게 마른다	• 그림 수정이 어렵다

07 성서 내용을 전달하는 역할을 맡았던 '스테인드글라스'

고딕 양식의 넓은 창을 꾸미는 장식으로 등장

유럽 교회라고 했을 때, 아름다운 스테인드글라스를 떠올리는 사람도 많을 것이다. 하지만 처음부터 교회에 스테인드글라스가 장식되지는 않았다.

12세기 이전 로마네스크 양식 교회에서는 벽으로 천장의 무게를 지탱했기 때문에 큰 창을 설치할 수 없었다. 하지만 교차 볼트(123쪽)라는 건축 기술의 혁신이 일어나면서, 고딕 양식으로 지어진 교회에는 넓은 창을 설치할 수 있게 되었다. 스테인드글라스는 그 창을 꾸미는 장식으로 등장했다.

스테인드글라스란 '얼룩진 유리'라는 뜻이다. 녹인 유리에 광물을 섞으면 색이 변한다. 유리 공방마다 비밀 공법이 있었다고 한다.

그렇게 만들어진 색유리를 납으로 만든 틀과 연결하고, 창에 끼우면 스테인드글라스가 완성된다. 표면에 갈색 유약을 바르면 세밀한 곡선이나 음영을 표현할 수도 있다.

스테인드글라스를 가장 아름답게 감상할 수 있는 때는 맑은 날의 낮이다. 햇살이 내리쬐면 유리는 마치 보석처럼 빛난다.

스테인드글라스는 오늘날 순수 장식품으로 제작되지만, 옛날에는 글 읽을 줄 모르는 이들에게 성서 내용을 전달하는 역할도 했다. 그 대표작이 파리의 생트샤펠Sainte-Chapelle 교회에 있는 '성서의 여러 장면을 그린 연작 스테인드글라스'다. 이외에도 다양한 성서 장면이 스테인드글라스의 주제가 되었다.

유리창에서 화려한 색의 빛이 쏟아지는 '스테인드글라스'

고딕 양식 교회가 생겨나면서 넓은 창을 설치할 수 있게 되었고 스테인드글라스가 탄생!

스테인드글라스 = '얼룩진 유리'라는 뜻이야

글을 읽을 수 없는 사람이라도 성서 내용을 알 수 있도록 만들었어

성서의 여러 장면을 그린 연작 스테인드글라스
13세기 중반,
생트샤펠 교회, 파리

장점
• 넓은 창을 장식할 수 있다
• 글을 읽을 수 없는 사람에게 성서의 내용을 전할 수 있다
  (글을 모르는 사람을 위한 성서)
• 교회 안이 밝고 화려한 빛으로 가득 찬다

단점
• 날씨에 따라 감상이 좌우된다(가장 아름다울 때는 맑은 날의 낮)

08 선명한 삽화와 장식적인 서체로 쓰인 '채식 필사본'

고가의 미술품으로 취급된 '서책'

구텐베르크가 활판 인쇄 기술을 발명한 15세기 중반까지, 서양에서 책은 목판에 인쇄하거나 사람의 손으로 필사해 만들어졌다. 그렇게 수작업으로 필사된 책을 '필사본'이라고 한다.

필사본 중에서도 선명한 삽화를 삽입하고 장식적인 서체로 글을 쓴 책을 '채식 필사본illuminated manuscript'이라고 한다. 중세 수도원 등에서는 성서나 기도서 같은 기독교 관련 채식 필사본을 다수 제작했다.

채식 필사본의 소재로는 새끼 양이나 송아지의 유피를 얇게 저며 활석으로 갈아낸 양피지를 사용했다. 삽화는 연단 등 붉은색 계열 안료로 밑칠하고, 템페라로 색칠했다. 또한 곳곳에 금박을 붙이는 경우도 있었다.

이렇게 손이 많이 가는 채식 필사본은 서책인 동시에 미술품이나 다름없었다. 그러다 보니 고가의 물건으로 취급되었다. 15세기 프랑스에서 랭부르 형제the Limbourg Brothers가 베리 공작Jean, Duc de Berry의 주문을 받아 제작한《베리 공작의 매우 호화로운 기도서》는 세계에서 가장 호화롭고 아름다운 채식 필사본으로 알려져 있다. 또한 제작 연대 미상에 글자도 해독할 수 없고, 수많은 기묘한 그림이 그려진《보이니치 필사본Voynich Manuscript》이라는 수수께끼 채식 필사본도 남아 있다.

상처 입기 쉽고 보존이 어려운 채식 필사본은 일반 대중에게 거의 공개되어 있지 않아 낯설지도 모른다. 하지만 중세 유럽의 중요한 미술인 것은 확실하다.

세상에 단 한 권만 존재하는 중세의 중요한 예술 '채식 필사본'

선명한 삽화가 삽입되고
장식적인 서체로 쓰인 책

 채식 필사본

세상에서 가장 아름다운 채식 필사본

||

《베리 공작의 매우 호화로운 기도서》

(《베리 공작의 매우 호화로운 기도서》는 '시도서'에 속하는 책이다)
※ 시도서 = 기도문, 찬송가, 달력 등 매일의 기도를 위한 책

베리 공작

손이 많이 가는
채식 필사본은
미술품으로 여겨졌지

랭부르 형제 〈신년 연회에 참석한 베리 공작〉
《베리 공작의 매우 호화로운 기도서》
1413-1416년, 콩데 미술관, 샹티이(프랑스)

09 미술품 양산을 가능케 한 '목판화'와 '동판화'

삽화로 보급된 '목판화', 음영을 새길 수 있는 '동판화'

판에 그림을 새기고 잉크를 묻혀 압력을 가해 종이에 그림을 전사傳寫하는 판화는 크게 목판화와 동판화로 나뉜다.

부드러운 나무판에 그림을 새기는 목판화는 도안에서 선을 제외하고 모두 파내는 볼록판 인쇄다. 나무는 내구성이 약하기 때문에 대량 생산에는 적합하지 않지만, 온기가 느껴지는 굵은 선이 매력이다. 15세기 활판 인쇄 기술이 발명되자, 목판화는 서책의 삽화로도 널리 사용되었다. 대표적인 목판화 작품으로는 뒤러Albrecht Dürer의 〈묵시록의 네 기사The Four Horseman from The Apocalypse〉가 있다.

반면 단단하고 가공하기 어려운 동판에 그림을 새기는 동판화는 목판화와 다르게 인쇄할 때 나오게 하고 싶은 선만 파는 오목판 인쇄다. 목판보다 훨씬 가는 선을 표현할 수 있어서 선이나 점을 사용해 도안에 음영을 줄 수 있다. 또한 완성작은 매우 단단하다는 인상을 준다. 동판 조각 기법으로는 조각칼로 직접 선을 새기는 인그레이빙Engraving과 내산성 수지로 덮은 동판에 동철 침으로 선을 그린 후, 동판을 질산염에 담그고 동철 침의 동을 녹여 도안을 새기는 에칭Etching(부식 동판화) 등이 있다. 대표적 동판화로 라이몬디Marcantonio Raimonde의 〈파리스의 심판Le Jugement de Pâris〉, 피라네시Giovanni Battista Piranesi의 〈로마 경관도Vedute di Roma〉 등이 있다.

목판화와 동판화 모두 활판 인쇄 기술이 발명되기까지는 문화를 전파하는 큰 역할을 담당한 예술이었다.

'목판화'와 '동판화'의 차이

목판화의 특징

• 볼록판 인쇄　• 온기가 느껴지는 굵은 선　• 서책의 삽화

> 나무는 그다지
> 내구성이 없어서
> 대량 생산하기
> 어려웠어

알브레히트 뒤러 〈묵시록의 네 기사〉
《요한 묵시록》연작 중에서
1498년, 메트로폴리탄 미술관, 뉴욕

동판화의 특징

• 오목판 인쇄　• 음영 표현 가능　• 단단한 이미지

> 꽤 가는 선도
> 표현할 수 있어

마르칸토니오 라이몬디
(라파엘로의 밑그림에 기초한) 〈파리스의 심판〉
1514-1516년경, 주립 미술관, 슈투트가르트

10 단색의 그러데이션으로 그리는 속임수 그림, '그리자유'

유화의 밑그림이나 정통 판화로도 활용되었다

그리자유Grisaille라는 기법은 아마 낯설 것이다. 이는 회백색 또는 갈색 등의 단색 안료를 매우 얇게 여러 차례 기름을 사용해 덧발라 그러데이션만으로 대상을 그리는 기법이다. 단색만 사용하기 때문에 모노크롬Monochrome이라고도 한다.

시간이 많이 들지만, 이 기법으로 그리면 대리석상처럼 매끈거리는 질감을 표현할 수 있다. 특히 르네상스 시기에는 고대 분위기를 연출하기 위해 고대 조각을 그려 넣을 때 활용했다.

이 그리자유 기법을 사용한 유명 작품으로는 15세기 벨기에 화가 한스 멤링Hans Memling이 그린 〈최후의 심판 세 폭 제단화The Last Judgement Triptych〉가 있다. 그림 속에는 본 작품의 기증자와 그 아내가 무릎을 꿇고 기도를 올리는 모습과 함께, 두 사람의 위에 성모자상과 대천사 미카엘상이 그려져 있다.

두 인물이 꽤 평면적으로 그려져 있는 데 반해 조각상은 마치 진짜 대리석 조각처럼 입체감을 보인다. 이른바 속임수 그림 같은 효과를 내는데, 이 대리석상을 그린 기법이 그리자유다. 대리석상은 실물처럼 매끄러운 질감을 내기 위해 필치를 거의 남기지 않고 그렸다.

모든 색상을 사용하는 기법보다 물감 비용이 저렴하기에 그리자유로만 작품을 완성하는 경우도 있었다. 또한 유화의 밑그림이나 정통 판화로도 활용했다.

대리석처럼 매끄러운 질감이 특징인 '그리자유'

성모자상

악마와
싸우는
대천사
미카엘상

제단화의
기증자와
그 아내

한스 멤링
〈최후의 심판 세 폭 제단화〉(양 날개 바깥면)
1467-1471년 국립 박물관, 그단스크(폴란드)

조각상은 단색으로
표현했네

웅. 잿빛 안료를
몇 번이고 기름으로
덧발랐지

매끄러운
느낌을 냈어

11 모든 미술의 기초가 되는 '소묘'

훌륭한 소묘는 회화와 같이 수집품 대상이 되었다

소묘(스케치)는 모든 미술의 바탕이 되는 기법이다. 소묘란 쉽게 말하면 선으로 물체 형태를 파악하는 일과 그렇게 완성된 작품을 말한다. 프랑스어로는 '데생Dessin', 영어로는 '드로잉Drawing', 이탈리아어로는 '디세뇨Disegno'라 부른다.

재료로는 종이에 연필, 잉크, 목탄, 분필, 크레용 등을 사용한다. 그 위에 수채로 색을 입히기도 한다.

르네상스 시기에 피렌체를 중심으로 '소묘야말로 모든 미술의 기본이다'라는 사고방식이 정착했다. 이후, 미술 아카데미에서도 소묘를 수업의 기본으로 중시했다.

18세기에 인기를 끌었던 신고전주의에서도 이 사상을 주장했다. 지금도 미술을 배울 때는 대부분 소묘 훈련부터 시작한다.

본래는 연습이나 밑그림의 역할이 강했던 소묘지만, 종이가 보급되고 화가의 지위가 향상되면서 17세기경부터 작품으로서의 가치가 상승했다. 그래서 훌륭한 소묘는 회화처럼 수집의 대상이 되었고, 소묘집 등을 출판하기도 했다.

유명한 소묘 작품으로는 레오나르도 다 빈치의 〈고양이의 성모자를 위한 습작〉 등이 있다. 이 소묘는 완성 작품의 구도를 정하기 위한 습작이지만, 이를 바탕으로 제작된 작품이 발견되지 않았기 때문에 귀중해졌다.

'소묘'야말로 모든 미술의 기본

| 소묘(스케치) | = | 그림 연습이나 밑그림 역할 |

17세기경부터 수집의 대상

레오나르도 다 빈치 〈고양이의 성모자를 위한 습작〉
1478년경, 대영박물관, 런던

 원 포인트

레오나르도 다 빈치의 작품은 구도를 정하기 위해 그려진 것으로,
완성 작품은 발견하지 못했다

12 방대한 시간을 들여 제작되는 고가의 직물, '태피스트리'

유명 화가가 밑그림을 그리는 경우도 있고, 수가 매우 적어 귀중하다

태피스트리Tapestry란 직물의 일종이다. 헬레니즘 시대부터 있던 것으로, 14세기 초반 유럽에서 오늘날과 같은 재료나 기법으로 발전했다. 붓으로 그린 회화와는 다르게, 실이 한 올 한 올 모여 만들어지는 태피스트리는 완성까지 오랜 시간이 필요하기에 고액으로 거래되는 선호 미술품이다.

태피스트리는 먼저 밑그림 제작부터 시작한다. 그 밑그림을 바탕으로 직물을 짜는데, 이때 밑그림은 모두 씨실만으로 나타낸다. 날실로는 주로 무명실을, 씨실로는 양모나 비단실을 사용했다. 또한 그중에는 씨실에 금실 등을 짜 넣어 사치스러운 태피스트리를 만들기도 했다.

한편, 태피스트리의 밑그림은 직물을 짤 때 뒤집히기 때문에 완성품과는 반전된 구도다. 16세기 교황 레오 10세가 시스티나 예배당의 하부를 장식하기 위해 발주한 〈기적의 물고기잡이〉의 밑그림은 전성기 르네상스를 대표하는 이탈리아의 화가 라파엘로 산치오가 그렸다. 그 밑그림을 바탕으로 실제로 태피스트리를 제작한 곳은 피터르 쿠케 판 앨스트Pieter Coecke van Aelst 공방이었다.

이렇게 유명 화가가 밑그림을 그리고, 장인이나 공방이 태피스트리를 만드는 분업이 일반적이었다. 다만 밑그림은 태피스트리가 완성되면 쓸모없어지는 만큼 현존하는 밑그림은 매우 귀중한 문화유산이다.

밑그림이 매우 소중해진 '태피스트리'

실이 한 올 한 올 모여 완성되는 태피스트리

완성까지 엄청난 시간이 소요된다

밑그림

유명 화가가
그리는 경우도

라파엘로 산치오

(1483-1520 이탈리아 출생)
'성모의 화가'라 불린다

라파엘로 산치오
〈기적의 물고기잡이(태피스트리를 위한 밑그림)〉
1515-1516년, 빅토리아 앤드 앨버트 미술관, 런던

반전

태피스트리

뒤집히기 때문에 밑그림을
뒤집은 모양이 완성본

피터르 쿠케 판 앨스트 공방
〈기적의 물고기잡이(라파엘로의
밑그림을 바탕으로 한 태피스트리)〉
1516-1521년경, 두칼레 궁전, 만토바

01 미술 작품의 장르는 '그림에 무엇이 그려져 있는지'로 결정된다

'모티브'에 따라 '장르'가 나뉜다

음악에 클래식·재즈·록·블루스 등 다양한 장르가 있듯, 미술 작품에도 여러 장르가 있다.

성서의 한 장면을 그린 '제단화'와 '종교화', 신화의 한 장면을 그린 '신화화', 역사의 한 사건을 그린 '역사화', 특정 인물을 그린 '초상화', 작가가 자기 자신을 그린 '자화상', 풍경을 그린 '풍경화', 식기나 과일, 꽃 등을 그린 '정물화', 서민의 일상생활을 그린 '풍속화', 사회 풍자를 위해 그린 '풍자화', 나체의 여성을 그린 '나체화', 특정 개념이나 메시지가 담긴 '우의화'······.

회화의 장르를 나누는 기준은 '그림에 무엇이 그려져 있는지'이다. 그려진 것이 구체적이지 않고 머리에 떠오른 이미지를 색이나 선으로 표현한 것이어도 괜찮다. 이렇게 작품에 그려진 요소를 '모티브'라고 하고, 그 모티브의 차이에 따라 작품은 다른 장르로 나뉜다.

다만 음악에서 록과 블루스를 명확히 나누기 어려운 것처럼, 회화 장르도 명확히 나누기 어려운 경우가 잦다. 예컨대 여성의 나체가 그려져 있으면 '나체화'이겠지만, 그 여성이 신화 속 여신이라면 '신화화'로 볼 수 있다. 또한 종교화를 그려달라는 의뢰를 받아, 일단 조건을 만족시키는 작품을 그렸다 해도 화가 자신은 그림 속 풍경을 그리는 데 중점을 두는 경우도 있다. 그렇더라도 장르는 회화를 이해하는 입구로써 도움 된다.

기준은 있지만 명확하게 나눌 수 없는 회화 장르

회화의 장르를 나누는 기준 그림에 무엇이
그려져 있는가?

장르별 회화 예시

종교화

조토 디본도네
〈마에스타(온니산티의 성모)〉
1310년, 우피치 미술관, 피렌체

풍경화

야코프 판 라위스달
〈베르크의 풍차〉
1668-1670년경, 국립미술관, 암스테르담

초상화

조반니 벨리니
〈레오나르도 로레단의 초상〉
1501-1502년경, 내셔널 갤러리, 런던

정물화

미켈란젤로 메리시 다 카라바조
〈과일 바구니〉
1597년경, 암브로시아나 미술관, 밀라노

자화상

알브레히트 뒤러
〈1500년의 자화상〉
1500년, 알테 피나코테크 미술관, 뮌헨

풍속화

안니발레 카라치
〈콩 먹는 사람〉
1583-1585년, 콜론나 미술관, 로마

02 성서 이야기나 기독교 교리가 모티브 된 '제단화'

축제나 미사 등 특별한 날에만 공개된 그림도 있었다

'제단화'는 교회 제단을 장식하기 위해 만들어진 그림으로, 대개 패널 여러 장으로 구성된다. 두 장의 패널로 구성된 두 폭 제단화나 양옆에 문이 달린 세 폭 제단화, 그보다 더 많은 여러 장의 패널로 구성된 다폭 제단화 등 그림을 구성하는 패널의 수는 다양하다. 또한 문이 달린 것은 축제나 미사 등 특별한 날에만 공개되는 경우도 있다.

교회를 장식하기 위한 용도기 때문에 그림의 모티브는 기본적으로 성서 속 이야기나 기독교 교리를 바탕으로 한다. 그래서 '종교화'의 한 분야기도 하다. 다만 유럽에서는 17세기경까지 그림의 태반이 종교화였기에 일부러 여기서는 제단화를 하나의 장르로 소개하고자 한다.

대표적인 제단화로, 15세기 벨기에의 반 에이크 형제가 제작해 성 바보 대성당에 장식된 〈겐트 제단화Ghent Altarpiece〉가 있다.

전체 그림은 패널 열두 장으로 구성되었고, 중앙 상단에는 예수 그리스도의 이미지로 표현된 아버지 신이 그려져 있다. 그 양옆 패널에는 성모 마리아와 세례자 요한이 그려져 있으며, 그 패널들을 감싸고 있는 바깥쪽 패널에는 음악을 연주하는 천사들과 아담과 이브가 그려져 있다. 하단 중앙에는 예수 그리스도의 부활을 나타내는 새끼 양을 그린 패널이, 그 양옆에는 열두 제자, 로마 교황, 성인, 순교자를 그린 패널이 있다.

당시 사람들은 압도적인 박력이 느껴지는 대작을 앞에 두었을 때, 난해한 교의는 모르더라도 자연스레 겸허한 기분이 들었을 것이다.

보는 사람을 기도의 세계로 이끄는 '제단화'

교회의 제단을 장식하기 위한 그림

||

제단화

||

모티브는 성서 이야기나 기독교 교리

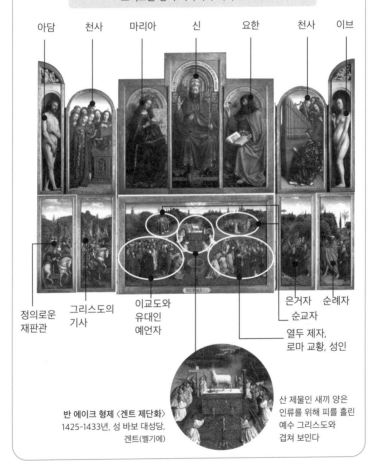

아담 천사 마리아 신 요한 천사 이브

정의로운
재판관

그리스도의
기사

이교도와
유대인
예언자

은거자 순례자
순교자

열두 제자,
로마 교황, 성인

반 에이크 형제 〈겐트 제단화〉
1425-1433년, 성 바보 대성당,
겐트(벨기에)

산 제물인 새끼 양은
인류를 위해 피를 흘린
예수 그리스도와
겹쳐 보인다

03 의외로 늦은 시기인 17세기에 장르로 인정받은 '풍경화'

풍경은 오랫동안 종교화의 배경에 지나지 않았다

자연 풍경을 그린 '풍경화'는 가장 익숙한 회화 장르 같다. 하지만 사실 장르로 인정받은 시기는 17세기이니, 꽤 늦었다고 할 수 있다. 그 때까지는 주로 교회가 후원자였기 때문에 온통 종교화만 의뢰했다. 주요 모티브는 인물이라 풍경은 배경일 뿐이었다.

그런 상황 속에서 이탈리아 화가 카라치Annibale Carracci는 1603년 그린 〈이집트로의 도피〉에서 성서의 한 장면이 주제인데도 예수나 성모 마리아, 요셉을 작게 그리고 화면의 9할을 풍경으로 채웠다. 당시 화가로서 최소한의 저항을 했던 것이다.

이렇게 종교화를 그리는 흐름이 17세기 네덜란드에서 처음 바뀌었다. 당시 네덜란드에서 사회의 중핵을 차지한 상인들은 자택을 장식하기 위한 그림을 주문하기 시작했다. 이때 그리스도 십자가 그림처럼 고통이 느껴지는 그림보다 자연이 느껴지는 주제를 원했다. 그래서 적극적으로 풍경화를 그리게 된 것이다.

17세기 네덜란드에서 수많은 '풍경화'를 그리며 성공한 화가 중에 라위스달Jacob van Ruysdael이 있다. 라위스달은 그 당시 네덜란드 경제의 원동력인 풍차나 배를 많이 그렸다. 발주자 상인들을 노린 것일 터이다.

반면 동시대 네덜란드 화가였던 호베마Meindert Hobbema는 평범한 근교 풍경만 계속 그리며 빈곤하게 살다 세상을 떠났다. 하지만 무심한 풍경의 아름다움을 순수하게 그렸다는 점에서 근대적 풍경 화가의 선구자 중 하나로 꼽힌다.

네덜란드의 상인들이 발전시킨 '풍경화'

16세기까지

회화는 '종교화'

↓

인물이 주, 풍경은 배경

1603년 카라치 〈이집트로의 도피〉 등장

아기 예수를 안은 마리아   요셉

안니발레 카라치 〈이집트로의 도피〉
1603년, 도리아 팜필리 궁전, 로마

↓

회화의 9할이 풍경!

↓

17세기

네덜란드 상인들은 **자택을 장식할 그림을 주문**

↓

네덜란드에서 **'풍경화' 발전**

04 실물을 옮기면서도 그림 속에 은유를 담은 '정물화'

카라바조, '정물 그림은 인물 그림과 같은 가치가 있다'

1세기 화산 폭발로 한순간에 멸망한 폼페이 유적에서 발굴된 벽화나 바닥 타일에는 해양 생물이나 과일이 그려져 있다. 그런 의미에서 정물화는 긴 역사가 있지만, 기독교가 영향력을 행사하면서 종교화 수요가 높아지자 쇠퇴했다.

'정물화'를 회화 장르로 부활시킨 사람은 16세기 이탈리아 화가 카라바조Michelangelo da Caravaggio다. 그는 '정물 그림은 인물 그림과 같은 가치가 있다'라고 주장했다. 카라바조 정물화의 대표작인 〈과일 바구니〉는 정밀한 실사 기술로 바구니가 그림 밖으로 튕겨 나올 듯 그려져 있어, 속임수 그림으로도 훌륭하다.

머지않아 17세기가 되자, 네덜란드에서는 풍경화를 원했던 것과 같은 이유로 일반 시민들이 의견이나 감정이 들어가 있지 않은 주제의 정물화를 찾기 시작했다. 그래서 화가들은 꽃이나 과일, 채소 등 가까이 있는 사물을 많이 그렸다. 또한 중국제 사기나 희귀한 조개 등 해양 국가 네덜란드다운 사물도 그렸다.

하지만 정물화에 그려진 모티브에는 특정 의미가 담겨 있는 경우가 많았는데, 대부분 바니타스Vanitas라는 주제였다. 바니타스에 대해서는 166쪽에서 상세히 설명하겠지만, 간단히 말하자면 '공허'를 의미한다. 바니타스는 정물화에 한정되지 않아, 66쪽에서 해설한 클림트의 〈여성의 세 시기〉 등도 바니타스가 주제다.

사실성 속에 몰래 넣어놓은 메시지

고대 폼페이 유적의 벽 등에 그려져 있던 '정물화'

⬇

'종교화'의 발전으로 쇠퇴

카라바조

↓

카라바조
"정물 그림은 인물 그림과 같은 가치가 있다."

(1573-1610,
이탈리아 출생)

미켈란젤로 메리시 다 카라바조 〈과일 바구니〉
1597년경, 암브로시아나 미술관, 밀라노

매끈매끈한 포도 싱싱한 잎사귀	VS	벌레 먹은 사과 바짝 마른 잎사귀
‖		‖
삶	VS	죽음

05 교훈이나 우의가 담긴 경우도 많은 '풍속화'

시대의 문화를 전달하는 '풍속화'의 역사적 가치

'풍속화'는 매우 평범한 사람들의, 매우 당연한 생활을 주제로 한 회화다. '장르화'라고도 불린다. 앞에서 해설한 페르메이르의 〈편지를 읽는 푸른 옷의 여인〉(53쪽)도 풍속화의 대표적인 작품 중 하나다.

풍속화는 풍경화나 정물화처럼 17세기 네덜란드의 시민사회가 발전하면서 수요가 생겨났다. 그때까지의 회화에서는 인물을 모델로 그린 경우 '모델 = 주문자'였지만 풍속화는 그 원칙을 깨뜨렸다.

서민을 그렸다고 하더라도 그림에 주문자의 의도를 담은 경우도 다수 있다. 예컨대 17세기 스페인 화가 무리요의 〈거지 소년The Young Beggar〉에는 가난한 소년이 그려져 있다. 이 작품에서 화가는 부유한 사람이 가난한 사람에게 베푸는 은혜를 설명하며 기독교적 메시지를 담았다. 또는 15세기 네덜란드 화가 히에로니무스 보스Hieronymus Bosch의 〈일곱 가지 대죄〉(171쪽)에는 음식을 탐하는 서민이 그려져 있다. 이 또한 식탐을 경계하는 기독교적 가르침이 담겨 있다.

반면 16세기 이탈리아 화가 카라치의 〈콩 먹는 사람〉은 특별한 교훈이나 우의적 의미를 담지 않고 서민의 식사 풍경을 그린 작품이다. 그래서 순수한 풍속화의 선구자 격인 작품이다.

다만 교훈이나 우의가 있든 없든, 서민의 생활을 주제로 한 풍속화는 그 시대의 문화를 전달하는 역사의 증언자라는 가치를 지닌 것은 분명하다.

그 시대의 문화나 세상을 전달하는 '풍속화'

풍속화에는 교훈이나 우의를 담은 작품이 많다

바르톨로메 에스테반 무리요
〈거지 소년〉
1645-1650년경, 루브르 박물관, 파리

부자가 빈자에게 베푸는 은혜 이야기

평범한 남자의 식사 풍경을 그린, 당시로서는 있을 수 없던 작품

안니발레 카라치
〈콩 먹는 사람〉
1583-1585년경, 콜론나 미술관, 로마

풍속화의 선구자가 된 16세기 작품. 교훈도 우의도 없지만
당시 서민의 생활을 엿볼 수 있다

06 특정 인물이 실재했다는 사실을 증명하는 '초상화'

15세기 이후에는 4분의 3 정면 초상화나 집단 초상화도 등장

19세기에 사진이 발명되기 전까지, '초상화'는 특정 인물이 실재했다는 사실을 증명하는 중요한 기록 역할을 담당했다.

고대 로마에서는 군주의 기마상이나 흉상을 활발히 제작했는데, 시민들이 그 얼굴을 알 수 있도록 동전에도 군주의 초상을 새겼다. 중세 이후에는 기본적으로 왕후 귀족을 위한 장르가 되었다. 한편, 15세기 이탈리아 화가 마사초Masaccio의 〈성 삼위일체〉(205쪽)처럼 그림의 기증자를 작품 속에 그려 넣는 경우도 있었다.

다시 초상화라는 독립적인 형태로 서민의 모습을 그리게 된 시기는 르네상스 시기였다. 주로 발주자는 유복한 상인들이었다.

그때, 특히 이탈리아에서는 고대 동전과 같이 완전 측면 초상화를 선호했다. 말하자면 프로필이었다. 15세기 이탈리아 화가 도메니코 기를란다요Domenico Ghirlandajo의 〈조반나 델리 알비치 토르나부오니의 초상〉은 전형적인 프로필 초상화다.

16세기경에 들어서자, 좀 더 입체적으로 그리는 부분 측면(4분의 3 정면) 초상화가 등장했다. 그 후 17세기에는 네덜란드에서 인물 여러 명을 그리는 집단 초상화라는 새로운 스타일도 등장했다.

집단 초상화로 유명한 작품은 17세기 네덜란드 화가 렘브란트 Rembrandt Harmensz van Rijn가 그린 〈야간 순찰The Night Watch〉이다. 이 작품은 1640년 화포총수 조합이 발주해 제작된 그림으로, 화포총수 조합이 구성한 민병대가 출동하는 순간을 그리고 있다.

'초상화'도 시대와 함께 변화한다

고대 로마

군주의 초상화를 동전에 그리다

중세

왕후 귀족의 초상을 그리다

르네상스 시기

유복한 상인들을 그리다
(아래 두 점은 피렌체 은행가의 영애)

고대 로마 동전 같은

완전 측면 초상화 (프로필)

15세기 이탈리아에서는 완전 측면 초상화를 선호했다

도메니코 기를란다요
〈조반니 델리 알비치 토르나부오니의 초상〉 1489-1490년경,
티센 보르네미사 미술관, 마드리드

좀 더 입체적인

4분의 3 정면 초상화

측면 초상화가 주류였던 시기,
다 빈치가 그린 4분의 3 정면 초상의 선구자 격 작품

레오나르도 다 빈치
〈지네브라 데 벤치〉
1478-1480년경, 내셔널 갤러리 워싱턴

17세기가 되자…

집단 초상화를 그리게 되었다

표면에 바른 니스의 변색으로 검어져서 18세기경부터 〈야간 순찰〉이라는 통칭으로 불린다. **사실 낮의 정경이다**

렘브란트 하르먼스 판 레인 〈야간 순찰〉
1642년, 국립미술관, 암스테르담

07 오랫동안 그려지지 않았던 '자화상'

르네상스 이후 화가가 '중요한 직업'이 된 이유

화가들이 자기 모습을 그린 '자화상'을 제작하기 시작한 시기는 르네상스 때부터다. 그때까지 중세에서는 자화상은 고사하고 작품에 서명을 남기는 일조차 대부분 허락되지 않았다.

중세까지는 성서에 등장하는 인물이나 이야기를 그린 종교화가 회화의 주류를 차지했다. 기독교는 우상 숭배를 금지한다. 원칙적으로 그리스도나 성모 마리아를 그려서는 안 된다. 하지만 글을 읽을 수 없는 사람에게 기독교를 포교하려면 아무래도 종교화가 필요했다. 그래서 기독교에서는 종교화가 '하늘에서 내려온 성스러운 이미지를 판 위에 옮겨둔 것에 지나지 않는다'라고 간신히 핑계를 댔다.

결국 화가는 '하늘에서 내려온 이미지를 정확히 옮기는 중개자일 뿐'이었다. 그래서 자신의 작품임을 드러내는 서명은 물론이고 작품에 자신의 개성을 담는 것도 불가능했다. 중세 종교화의 대다수가 어딘지 닮아 있는 건 그 때문이다.

하지만 르네상스기에 들어서자 사람들은 신의 창조물로서 인간 자신의 가치를 재고하게 되었다. 그와 함께 화가도 단순한 이미지의 중개자가 아니라 '신이 만든 세계를 작품으로 재구축하는 중요한 직업'으로 보이게 되었다. 이렇게 화가가 자의식을 가지게 되면서 자화상을 그리는 움직임도 활발해졌다. 자화상에는 화가의 자긍심이나 나르시시즘이 넘치는 작품이 많다. 독일 화가 뒤러가 1500년에 그린 자화상 등은 자신을 그리스도에 비유하고 있다.

인간의 가치를 재고하며 화가의 지위가 올라갔다

르네상스 전	르네상스 이후
화가	화가
하늘에서 내려온 이미지를 정확히 옮기는 단순한 중개자	신이 만든 세계를 작품으로 재구축하는 중요한 직업

⬇️ 서명조차 NO

⬇️ 서명·자화상 OK

자신을 그리스도에 비유한 뒤러의 자화상

알브레히트 뒤러

(1471-1528, 독일 출생)
북방 르네상스 최대의 거장.
막시밀리안 황제의 궁정 화가로 발탁
되어 독일을 중심으로 활약했다

알브레히트 뒤러
〈1500년의 자화상〉
1500년, 알테 피나코테크 미술관,
뮌헨

08 금기시하던 '나체화'가 허용된 경우는?

4 장르

'성서'나 '신화'에 등장하는 인물이라면 허용되었다

고대 그리스나 고대 로마의 미술에서는 나체를 이상적인 미를 표현하는 하나의 모티브로 중시했다. 하지만 성도덕에 엄격한 기독교가 유럽을 지배하자, 나체는 기본적으로 금기시되었다.

예외적으로 허용된 경우는 나체라도 자연스러운 에피소드가 있는 성서의 등장인물을 그릴 때뿐이었다. 그래서 중세에서는 최초의 여성인 이브나 외전《다니엘 전서》에 등장하는 수산나라는 여성이 목욕하는 장면을 얼마 안 되는 '나체화'로 그렸다.

르네상스기에 들어서자 회화 주제로 신화도 등장하면서, 로마 신화의 미와 사랑의 여신 비너스를 비롯한 신화 속 신들이나 등장인물의 나체도 허용되기 시작했다. 이때 15세기 이탈리아 화가 보티첼리의 〈비너스의 탄생〉으로 대표되는 '수줍어하며 선 자세'와 그보다 조금 후에 등장한 이탈리아 화가 조르조네의 〈잠자는 비너스(드레스덴의 비너스)〉로 대표되는 '관능적으로 누워 있는 자세'가 누드 표현 형식의 정석이 되었다.

하지만 르네상스기 이후에도 자유롭게 나체를 그릴 수 있던 것은 아니었고, 성서나 신화에 나온다는 변명은 필요했다. 앞서 설명한 19세기 프랑스 화가 마네의 〈올랭피아〉(69쪽)는 형식적으로는 그리스 신화의 여신을 그린 그림이지만, 창부의 나체라는 점을 노골적으로 표현했기 때문에 강한 비난을 받았다.

110

왜 금기가 풀렸을까?

르네상스 전 ➡️ 나체가 자연스러운 성서의 등장인물만 OK

 원 포인트

아름다운 수산나가 목욕하고 있자, 권력을 쥔 노인 두 명이 트집을 잡으며 관계를 맺으려 한다. 죽음을 불사하고 그를 거부한 수산나는 여성 신자의 나침반이 되었다.

야코포 틴토레토 〈수산나의 목욕〉
1550년대, 미술사 박물관, 빈

르네상스 이후 ➡️ 신화의 신이나 등장인물의 나체도 OK

산드로 보티첼리 〈비너스의 탄생〉
1484-1486년, 우피치 미술관, 피렌체

조르조네 〈잠자는 비너스(드레스덴의 비너스)〉
1510년, 알테 마이스터 미술관, 드레스덴

 원 포인트

고대 그리스로부터 이어진 '수줍은 포즈'(오른손으로 가슴, 왼손으로 하복부를 감추는 스타일)로 그렸다

 원 포인트

관능적으로 누워 있는 비너스를 그렸다. 비너스라는 사실을 증명하는 발밑의 큐피드는 보수하면서 사라졌다

세계 4대 미술관 ③
예르미타시 미술관

예르미타시Ermitaz 미술관은 러시아의 옛 수도 상트페테르부르크에 있는 국립미술관이다. 네바강 부근에 있는 건물 자체가 세계유산에 등록되어 있다. 소장하고 있는 미술품은 300만 점 이상으로, 전시실만 해도 400실이다. 전실을 다 돌면 그 총거리가 27킬로미터에 달한다고 한다.

이 미술관은 러시아의 여제 예카테리나 2세의 사적인 미술품 컬렉션으로 시작되었다. 예카테리나 2세는 수집한 미술품을 전시하기 위해 겨울 궁전 옆에 자신 전용의 미술관을 세웠다. 그 후에도 역대 러시아 황제가 계속 미술품을 수집해 시설은 증설을 거듭했고, 마침내 겨울 궁전, 소 예르미타시, 구 예르미타시, 신 예르미타시, 예르미타시 극장 총 다섯 채의 건물로 구성된 거대한 미술관이 되었다. 원래 일반 대중에게 공개하지 않았지만, 1863년 이후에는 시민도 자유롭게 관람할 수 있게 되었다.

주요 소장 작품은 레오나르도 다 빈치 〈브누아의 성모〉, 라파엘로 〈코네스타빌레의 성모〉, 벨라스케스의 〈점심 식사〉, 렘브란트의 〈돌아온 탕자〉, 마티스의 〈붉은 방〉 등이다.

덧붙여서, 예카테리나 2세 시대부터 미술관 지하에서는 쥐를 퇴치하기 위해 고양이를 키웠다. 오늘날에도 미술관에는 고양이 전용 직원 세 명이 고양이들의 수발을 들고 있다. 이 고양이들은 '예르미타시의 고양이'로서 사람들에게 친숙하게 다가가고 있다.

제4부

서양 미술의
'역사'를 배우다

Jan van Eyck
Jean-François Millet
Gustav Klimt
Raffaello Sanzio
Pablo Picasso
Johannes Vermeer

01 서양 문명의 바탕이 된 2대 문명

유럽 문화의 부모, '메소포타미아 문명'과 '이집트 문명'

서양 미술은 기원전 4500년경 이미 도시 문명을 이룩한 메소포타미아 문명과 이집트 문명을 바탕으로 성립했다. 지리적으로 서양에 가까운 두 고대 문명은 이후 서양 문명에 큰 영향을 끼쳤다.

메소포타미아 문명은 티그리스와 유프라테스라는 두 거대한 강 유역에서 번영했다. 고대부터 농경생활을 했기에 토기가 만들어졌고, 그 표면을 장식할 문양이 발달했다. 메소포타미아 특유의 미술 양식이 탄생한 것이다. 토기에는 격자나 체크 모양 등 기하학적인 모양과 함께, 동물이나 사람도 그려졌다.

이 땅에 살던 수메르인은 쐐기문자를 사용해 세계에서 가장 오래된 문자 문명을 만들어냈고, 수메르 미술도 융성해졌다.

수메르인에게는 대홍수 신화가 있었는데, 이는 이후 성서나 그리스 신화 속 홍수 신화의 원형이 되었다. 이렇게 메소포타미아 문명은 모든 서양 문명의 초석이 되었다.

한편 이집트 문명은 나일강 유역에서 발전했다. 비옥한 대지 덕분에 농업이 발전했고, 그 결과 인구가 증가하고 도시 문명이 형성되었다. 이집트 미술의 특징은 사후 세계를 믿었다는 점이다. 이집트인들은 피라미드를 건설했고, 묘의 벽에는 내세에서의 이상적인 삶을 그렸다. 그 벽화 속 인물이나 동물은 매우 추상적으로 그려졌는데, 특히 인물은 모두 '발과 머리는 측면에서, 몸통은 정면에서' 본 모습으로 묘사됐다. 형태를 파악하기 쉽다는 합리성을 추구했기 때문이다.

서양의 기초가 된 '이집트 · 메소포타미아 문명'

이집트 문명

상형문자

나일강

메소포타미아 문명

쐐기문자

·티그리스 ·
유프라테스강

대하

농경

토기

문자

문명 발달

《사자의 서》 아니의 파피루스〉
기원전 1275년경(이집트 제19왕조) 테베에서 출토
대영박물관, 런던

〈우르의 깃발〉 기원전 2600-기원전 2400년경,
우르(이라크 남부)에서 출토, 대영박물관, 런던

이집트 미술의 특징은
사후 세계를 믿었다는 점

홍수 등의 수메르 신화나
수메르 미술

서양 문명에 많은 영향을 끼쳤다

02 서양 미술의 기초가 된 '에게·그리스 미술'

조각, 건축, 회화⋯서양 미술 전반에 큰 영향을 끼치다

기원전 3000년경부터 기원전 2000년경까지, 키클라데스Cyclades제 도와 크레타섬, 미케네Mycenae를 중심으로 한 펠로폰네소스반도나 그리스 본토에서 잇달아 문명이 발전했다. 그곳에서 시작된 미술을 '에게 미술'이라고 한다.

에게 미술은 청동기 문명을 배경으로, 〈아가멤논의 황금 가면〉으로 대표되는 금속 공예품이나 극단적으로 추상화된 석상, 그리스 신화 속 '미노타우로스의 미궁'의 모델이 된 사방 150미터 공간에 작은 방들을 복잡하게 배치한 크레타섬의 〈크노소스 궁전〉 등을 만들어냈다.

그 후 수수께끼의 민족인 '바다 민족'의 습격으로 이 지역의 문명은 일시적으로 쇠퇴했지만, 기원전 700년경부터 그리스는 다시 문화적으로 융성기를 맞이했고 '그리스 미술'이 탄생했다. 그리스 신화가 유대·기독교와 함께 서양 문화의 두 기둥이 된 것처럼, 그리스 미술은 이후 서양 미술의 주춧돌이 되었다.

그리스 미술에서는 처음에는 이집트 문명의 영향을 받아 직립부동의 조각이 만들어졌지만, 그 후 독자적으로 발전했다. 기원전 5세기경에는 자연스럽게 선 자세를 취한 조각이 만들어졌다. 이 시기 조각의 선 자세를 '콘트라포스토Contraposto'라고 한다.

건축 미술도 발전해 〈파르테논 신전〉 등 거대 신전을 건축하는 데 사용된 장식이나 구성은 '오더Order'라 불리며 서양 건축의 기준이 되었다. 한편, 회화는 주로 도기 식기 표면에 그렸다.

서양 미술의 기초는 '에게·그리스 미술'에 있다

'에게 미술'

기원전 3000년경부터 발달
키클라데스 미술
크레타 미술
미케네 미술의 총칭

발칸반도
에게해
트로이
아테네
펠로폰네소스반도
스파르타
미케네
지중해
크레타섬
키클라데스제도

수수께끼의 민족
'바다 민족'의
습격으로
일시 쇠퇴

원 포인트

높이는 약
30cm 미만
으로 작다

〈키클라데스 석상〉
기원전 2500년경,
애시몰린 박물관,
옥스퍼드

〈아가멤논의 황금 가면〉
기원전 1500년경,
국립고고학박물관, 아테네

원 포인트

독일의 고고학자
하인리히 슐리만이
19세기 미케네에서
발굴

〈밀로의 비너스〉
기원전 2세기 말,
루브르 박물관, 파리

'그리스 미술'

기원전 700년경부터
다시 융성.
그리스 조각은
동서가 융합한
헬레니즘 시기를
맞이하고 서양 미술에
다대한 영향을 끼쳤다

원 포인트

고대 그리스
조각의 완성형.
헬레니즘 미술의
걸작. 키클라데스
제도에서 출토

원 포인트

도시 아테네의 수호신
여신 아테나를 모신다

〈파르테논 신전〉
기원전 447-기원전 432년, 아테네

03 로마 제국의 판도가 넓어지면서 퍼진 '로마 미술'

이탈리아반도에 광범위하게 전파된 로마 번영의 증거

기원전 10세기경 이탈리아반도 중부에 에트루리아Etruria인이 도시 문명을 건설했다. 그들은 기원한 인종이라든가 사용 언어 등 분명치 않은 부분이 많지만 '네크로폴리스Necropolis(죽음의 도시)'라 불리는 대규모 분묘를 남겼고, 그 묘실을 벽화로 장식한 민족이다. 벽화의 주제로 초기에는 일상생활을 그렸지만 이후 그리스 신화의 이야기 등을 그렸기에 그리스 미술의 영향을 받았다는 것을 알 수 있다.

이 에트루리아인과 거의 같은 시대에, 또는 조금 늦게 라틴인이 로마를 건설했다. 로마는 기원전 1세기경 에트루리아 문명을 완전히 흡수했고, 그리스를 대신해 지중해 문화의 중심이 되었다. 또한 그리스 문명에서 신화와 함께 미술 양식도 받아들여 독자적으로 발전시켰다.

'로마 미술'의 회화는 '폼페이 유적' 등에 남은 벽화군이 대표적이다. 시대에 따라 네 가지 양식으로 나눌 수 있는데, 제1 양식은 회반죽을 바른 벽에 속임수 그림을 그리는 방식으로, 대리석을 모방해 그리는 것이 특징이다. 제2 양식은 기둥 등의 건축 모티브를, 제3 양식은 그리스 신화를 그려 넣었다. 1세기 네로 황제 시대에 나타난 제4 양식에서는 한층 호화로운 장식을 그렸다. 또한 로마 미술에서는 고도의 현실성이 느껴지는 기마상이나 황제상 등 조각이 만들어졌다.

머지않아 로마는 유럽에 거대한 제국을 세웠고, 로마의 미술 양식도 광범위하게 전파되었다.

기원전 10세기경~4세기경

그리스 미술을 수용해 독자적 양식을 확립한 '로마 미술'

기원전 10세기경 | 에트루리아인이 이탈리아반도 중부에 도시 문명을 건설

원 포인트

미소를 띤 차분한 표정에서 내세에서의 행복을 원하는 내세 신앙을 엿볼 수 있다. 이집트인처럼 사후에도 생전과 같은 생활을 이어간다고 생각했다

〈부부의 관〉
기원전 520~기원전 510년경,
루브르 박물관, 파리

기원전 1세기경 | 라틴인이 에트루리아 문명을 완전 흡수

그리스 미술을 도입해 독자적인 미술 = 로마 미술로 발전

〈제2 양식 디오니소스 밀교 숭배〉
기원전 70~기원전 50년경, 신비의 저택, 폼페이

〈프리마 포르타의 아우구스투스〉
14~29년경, 바티칸 미술관, 바티칸

원 포인트

〈폼페이의 벽화군〉 색이 퇴색되기 어려운 **프레스코화**였기 때문에 18세기 발굴되었을 때 화산재 속에서 아름다운 미술품이 모습을 드러냈다

원 포인트

로마 초대 황제. 맨발인 것은 **사후의 모습**이라 생각된다

04 기독교 포교를 목적으로 발전한 '초기 기독교 미술'

우상 숭배에 대한 논쟁이 일어났지만 발전해갔다

1세기에 기독교가 전해지면서 로마 제국에도 신도가 늘어났다. 결국 로마 제국은 4세기에 기독교를 공인했다.

그 후 제국은 동서로 분열되었다. 서로마 제국은 게르만 민족 때문에 5세기에 멸망했지만, 부족마다 국가를 건설한 게르만계 민족들은 얼마 안 가 기독교도가 되었다.

기독교는 우상 숭배를 금지했기 때문에 '초기 기독교 미술'에서는 예수의 모습을 그리는 대신 '구세주 예수'의 앞 글자를 딴 단어 ICHTHYS와 동일한 배열인 '물고기Ichthys' 그림을 차용하는 등 상징을 많이 이용했다. 이 그림들은 기독교의 지하 매장소인 '카타콤Catacomb' 등에 많이 남아 있다. 하지만 문맹률이 높은 당시에는 기독교를 포교하기 위해 더 알기 쉬운 그림이 필요해졌고, 점차 성서의 장면을 그린 설화 성격의 그림이 중심이 되었다.

한편, 콘스탄티노폴리스Konstantinopolis(오늘날 튀르키예 이스탄불)로 수도를 정한 동로마 제국은 이후 비잔틴 제국이라고도 불리며 15세기까지 명맥을 유지했다. 동로마 제국에서는 '이콘Icon'이라는 판화 형식의 성상이나 모자이크 벽화를 활발히 제작했다.

물론 동로마 제국 내에서도 우상 숭배에 대한 논쟁은 끊이지 않아, 몇 번이고 이코노클래즘Iconoclasm(우상 파괴 운동)이 일어났다. 하지만 9세기에 '이콘 = 성스러운 존재의 그릇'이라는 해석이 정착되면서 드디어 이콘 제작은 정당성을 확보했다.

'초기 기독교·비잔틴 미술'은 신의 가르침을 전달하기 위한 도구

3세기

로마 제국 쇠퇴

↓

**4세기
로마 제국
동서 분열**

기독교 공인 ⇒ 초기 기독교 미술 발전
우상 숭배 금지 = 상징을 그렸다

원 포인트

그리스어로 '예수 그리스도, 주의 아들,
구세주'의 앞 글자를 따 연결하면 '물고기'를
의미하는 'Ichthys(이크티스)'가 된다

〈예수의 상징〉 5세기,
오병이어 교회,타브가(이스라엘)

↓

5세기, 서로마 제국 멸망 '중세'로

원 포인트

새끼 양은 산 제물이자 인류의
원죄를 갚기 위해 자신을 희생한
그리스도를 의미한다

〈선한 양치기〉 5세기 중반
갈라플라키디아 묘당, 라벤나, 이탈리아

↓

6세기

동로마 제국 = 비잔틴 제국에서
이콘(판화 형식의 성상이나 모자이크
벽화)을 제작했다

↓

8세기

우상 숭배 논쟁으로 **이코노클래즘**
(우상 파괴 운동)이 일어났다

↓

9세기 이후

'이콘 = 성스러운 존재의 그릇'이라는
해석이 정착했다

⇓

이콘 정당화

〈블라디미르의 성모〉
1100년경, 트레티야코프 미술관, 모스크바

05 교회의 창문도 미술 작품으로 만든 '고딕 양식'

전 유럽에 확산된 보편적인 미술 양식

유럽의 게르만계 민족들이 세운 각 국가는 강한 지역성을 드러 냈다. 하지만 10세기경에 들어서, 유럽 전 지역에서는 신성 로마 황제 를 세속의 최고 지배자로 보고 로마 교황을 종교의 최고 권위자로 보 는 정교분리가 일어났고, 느슨한 계층Hierarchy이 확립되었다.

이에 따라 미술에 대해서도 전 유럽에 보편적인 양식이 등장했다. 10세기경에 등장해 12세기까지 이어진 이 양식은 이후 '고딕 양식'과 대비하는 개념으로 '로마네스크(로마풍) 양식'이라 불린다. 12세기부 터 14세기까지 이어진 고딕 양식은 원래 르네상스 시기 건축가들이 그들의 이전 시대 양식을 야만스럽다고 경멸하는 의미에서 '고트인(게 르만계의 한 부족)풍'이라 부른 데서 기인했다.

로마네스크 양식과 고딕 양식 모두 대부분 기독교 미술로, 특히 교 회 건축이 중심적인 위치를 차지했다. 로마네스크식 교회는 벽면 전체 가 하중을 감당했기에 중후하고 창이 작은 것이 특징이다(반원형 천 장). 성당 정면 입구의 상부(팀파눔Tympanum)나 기둥머리 등에는 기독 교 모티브의 부조 장식이나 프레스코화 등이 그려졌다.

고딕 양식은 첨두 아치Pointed Arch와 교차 볼트 구조로 기둥에 하중 이 집중되기 쉽게 만들어 '넓고 밝고 높은' 교회를 실현했다. 이와 함 께 창도 커지면서 스테인드글라스가 등장했다. 팀파눔이나 기둥머리 와 함께 창문도 새로운 미술 화면이 된 것이다.

10-14세기

중세의 2대 미술 양식, 로마네스크·고딕 양식

10-12세기

'로마네스크(로마풍) 양식'의 출현

〈생트마들렌 대성당〉
1138년, 베즐레(프랑스)

〈반원형 천장〉

반원형 천장에서는
하중이 측벽에 균등하게
가해지기 위해 창이 작다

원 포인트

로마네스크 양식 교회의 특징은 반원형 천장과 조각미

12세기 중반-14세기

'고딕(고트인풍) 양식'의 출현

〈생트샤펠 내부, 성서의 여러 장면을 그린
연작 스테인드글라스〉
13세기 중반, 생트샤펠성당, 파리

〈교차 볼트〉

첨두 아치

사방의 기둥에 하중이 집중되면서
아치의 형상을 상부로부터 가해지는
무게에 강한 첨두 아치 모양으로
만들었기 때문에 큰 창이나
스테인드글라스를 설치할 수 있었다

원 포인트

고딕 양식 교회의 특징은 밝고 넓은 창문과 건물의 대형화와 고층화
아름다운 스테인드글라스로 성서의 장면을 표현

※ 일러스트 참고: 《도해 로마네스크 교회당(図説 ロマネスクの教会堂)》,
쓰지모토 케이코·달링 마스요 저, 가와이쇼보신샤, 2003년

06 이탈리아 상인이 후원한 '프로토 르네상스'

이탈리아를 대표하는 화가가 모두 한데 모여 대성당을 장식

13-14세기는 시대를 구분하자면 고딕 시대에 포함되지만, 그 시대 이탈리아는 분명 다른 지역과는 사회 구조도 미술 양식도 달랐다. 이 시기 이탈리아에서는 경제가 발전하며 상인층의 영향력이 커졌다. 상인들은 직종마다 동업자 조합 '길드(179쪽)'를 만들었고, 각 길드의 대표자들이 논의하여 도시국가를 운영하는 '코무네Comune(자치 도시국가)'가 이탈리아에 난립했다.

그런 환경 덕택에 예술 활동도 활발해져, 이후 이 예술 활동이 르네상스 문화의 시발점이 되었다. 그래서 이 시대 이탈리아는 동시대의 다른 지역과 구별해 '프로토(전) 르네상스'라고도 부른다.

프로토 르네상스 시기의 회화 분야에서는 두초Duccio di Buoninsegna 나 마르티니Simone Martini가 속한 시에나파와 치마부에Cimabue나 조토가 속한 피렌체파가 양립했다. 그리고 이 이탈리아를 대표하는 화가들이 한데 모여 협력하며 장식 작업을 한 곳이 아시시의 성 프란체스코 대성당이다.

미술사상 이 정도의 대규모 공동 작업은 그때까지 없었다. 그들이 성당에 설치한 장식은 서로의 기술이나 양식을 알고 융합시킨 계기가 되기도 했다.

성당 장식을 끝낸 후 화가들은 각자의 고향으로 돌아가 공동 작업을 통해 완성한 통일 양식을 전파했다. 훗날 르네상스 번영의 초석이 된 것이다.

이후 르네상스의 기초가 된 '프로토 르네상스'

13-14세기 이탈리아

경제 발전으로 코무네(자치 도시국가) 난립

↓

경제와 예술 발전, 프로토(전) 르네상스 도래

이탈리아

말마도 베네치아
제노바 피렌체
시에나 ★아시시
로마
나폴리

팔레르모
시칠리아

시에나파 | 두초, 마르티니 등

시모네 마르티니
〈수태고지〉
1333년경, 우피치 미술관, 피렌체

피렌체파 | 치마부에, 조토 등

원 포인트

르네상스의
아버지라 불리는
조토는 슬픔 등
인간의 격한
감정을 처음으로
표현했다

조토 디본도네
〈성 프란체스코의 죽음〉
1325년경, 산타 크로체 성당
바르디 가문 예배당, 피렌체

두 파가 협력해서

성 프란체스코 대성당 장식

원 포인트

미술사상 유례를 찾아볼 수 없는 대규모 공동 작업

〈성 프란체스코 대성당 내부〉 1228-1280년, 아시시

07 강력한 후원자 덕분에 성립할 수 있었던 '르네상스 미술'

르네상스 미술의 강력한 뒷배가 되어준 '메디치가'

13세기 이후, 이탈리아에서는 동업자 조합 '길드'의 대표가 도시국가 운영에 깊게 관여했다. 이 방식은 일종의 공화정이었기에 그들은 같은 공화정이던 고대 그리스나 로마 공화정의 성공 사례에서 배울 점을 찾으려 했다. 여기서 고대 그리스·로마의 문화와 이상, 예술에 다시금 주목하는 르네상스 운동이 일어났다. 르네상스란 '재생' 또는 '부흥'을 의미하는 프랑스어다.

르네상스의 중심이 된 곳은 피렌체였다. 피렌체에서는 섬유업과 함께 금융업도 번창하며 상인 계층의 세력이 커졌다. 피렌체의 길드는 군주, 교회와 함께 '제3의 후원자'로서 예술가들의 활동을 지원했다.

피렌체의 병기 제조업 조합은 무기 제작자나 무기 상인들의 수호성인인 〈성 게오르기우스〉를 발주했고, 은행가들은 천사가 지켜주는 가운데 빌려준 돈을 받으러 가는 〈토비아와 천사〉를 주제로 한 회화를 적극적으로 발주했다. 당시 유명한 후원자는 피렌체에서 은행업을 운영하던 메디치가다. 메디치가는 수많은 예술가의 후원자가 되어주었다.

'르네상스 미술'은 이렇게 피렌체에서 꽃을 피우고, 14세기 말부터 15세기 초까지 건축·회화·조각 세 분야에서 각각 브루넬레스키Filippo Brunelleschi, 마사초, 도나텔로라는 혁신적인 예술가들을 배출했다. 그들이 활약한 시대를 '초기 르네상스'라 하고, 레오나르도 다 빈치, 미켈란젤로, 라파엘로가 활약한 15세기 중반 이후를 '르네상스 전성기'라 부른다.

14세기 말-16세기

수많은 거장을 배출한 미술의 혁명기 '르네상스'

상인의 세력이 커지며 동업자 조합 '길드'가 만들어졌다

⬇

길드가 발달한 피렌체가 르네상스의 중심지

⬇

피렌체의 길드는 군주·교회와 함께 제3의 후원자

〈초기 르네상스 14세기 말-15세기 초〉

건축

필리포 브루넬레스키
〈산타마리아 델 피오레 대성당의 큐폴라〉
1294년 기공, 1436년 거의 완성, 피렌체

(※ 큐폴라: 교회 등 건축물에 설치된,
반구형으로 만들어진 지붕이나 돔)

회화

마사초
〈아담과 이브
(낙원에서의 추방)〉
1424-1427년경
산타마리아 델 카르미네교회의
브란카치 예배당, 피렌체

조각

도나텔로
〈성 게오르기우스〉
1416년경,
바르젤로 국립 박물관,
피렌체

〈르네상스 전성기 15세기 중반 이후〉

레오나르도 다 빈치
〈심장과 관상동맥 해부도〉
1512-1513년경, 윈저성 왕실 도서관, 런던

미켈란젤로 부오나로티
〈다비드〉 1501-1504년,
아카데미아 미술관, 피렌체

라파엘로 산치오
〈작은 의자의 성모〉
1514년경, 피티 미술관,
피렌체

08 르네상스 미술의 세 요소, '인체 파악·공간성·감정 표현'

미켈란젤로나 레오나르도도 스케치하러 방문한 예배당의 벽화

'초기 르네상스'를 대표하는 화가는 피렌체 출신 마사초다. 마사초는 같은 피렌체 출신 건축가 브루넬레스키에게 원근법을, 조각가 도나텔로에게 인체 구조를 배워 회화에 반영했다. 그리고 13세기 프로토르네상스기 화가 조토가 중시한 '인체 파악·공간성·감정 표현' 세 요소를 완성했다. 이 세 요소는 르네상스 미술을 특징짓는 가장 중요한 요소다.

피렌체에 있는 산타마리아 델 카르미네교회 브란카치 예배당에는 마사초가 그린 〈낙원에서의 추방〉의 아담과 이브 벽화가 있다. 같은 예배당의 맞은편 벽에는 선배 화가인 마솔리노가 그린 동일한 모티브의 벽화도 있는데, 이 두 작품을 비교해보면 마사초의 혁신성과 높은 수준을 잘 알 수 있다.

마솔리노의 아담과 이브는 마치 인형 같은 비율에 무표정한 얼굴을 하고 있다. 한편 마사초의 작품에서는 두 사람의 얼굴에 낙원에서 추방당한 슬픔과 절망이 흘러넘치며, 그러한 감정이 몸 전체에서도 표현되고 있다. 이는 마사초가 실제로 모델을 사용해 자연스러운 옆구리나 근육의 생김새를 그렸기 때문이다. 또한 마사초는 배경에 원근법을 사용해 건물과 천사를 앞뒤에 그려 깊은 공간을 표현했다. 두 사람의 발밑에서 뻗어 나오는 그림자도 대지의 확실한 존재를 느끼게 해준다.

마사초의 벽화가 있는 이 예배당은 이후 화가 지망생의 학교가 되었고, 미켈란젤로나 레오나르도도 스케치하러 방문했다.

미술사 키포인트

초기 르네상스의 혁명아 마사초

인체 구조 + 원근법 =

조각가 도나텔로
(1386경-1466)

마사초
(1401-1428)

건축가 브루넬레스키
(1377-1446)

왼쪽 하단의 그림은
레오나르도나 미켈란젤로도
스케치하러 왔다고

르네상스를 특징짓는 세 요소

인체 파악·공간성·감정 표현

〈인체 파악〉

마사초는 사실적,
마솔리노는
인형 같음

〈공간성〉

마사초는 **원근법**을
적용해 **깊이**를 표현,
마솔리노는 사실성보다
아름다움을 표현

〈감정 표현〉

마사초는 격한 슬픔을
표현, 마솔리노는 무표정
하게 표현

마사초 〈아담과 이브(낙원에서의 추방)〉
1424-1427년경, 산타마리아 델 카르미네교회
브란카치 예배당, 피렌체

마솔리노 다 파니칼레
〈아담과 이브(원죄)〉 1424-1427년경,
산타마리아 델 카르미네교회
브란카치 예배당, 피렌체

09 예술 세계에 잇달아 혁명을 가져온 레오나르도 다 빈치

본 것만 믿는다! 그러자 혁신적인 기법이 탄생했다

15세기 중반 이후 르네상스 전성기를 대표하는 예술가 중 한 명은 레오나르도 다 빈치다. 피렌체 교외 빈치 마을에서 태어난 그는 13세 무렵 공방에 견습생으로 들어가 미술 전반의 기초를 배웠다.

'본 것만 믿는다'라는 철저한 회의주의자 레오나르도는 회화 표현에 다양한 혁신을 가져왔다. 예컨대 자연에는 윤곽선이 없다는 사실을 발견한 레오나르도는 선을 그리지 않고 물에 녹인 안료를 손가락으로 몇 번이고 화면에 겹쳐 찍는 '스푸마토Sfumato'라는 그러데이션 기법을 개발했다. 유명한 〈모나리자〉는 그 기법으로 그린 것이다.

또한 레오나르도는 원근법도 연구해 〈최후의 만찬〉에서 그 연구 성과를 마음껏 발휘했다. 멀리 있는 것일수록 공기 때문에 희미하고 창백하게 보이는 '공기원근법'도 개발했다. 그 외에도 음악, 수학, 천문학, 공학, 의학 등 레오나르도는 모든 것에 흥미를 느꼈다.

라파엘로 또한 전성기 르네상스를 대표하는 화가 중 한 명이다. 우르비노 공국 출신인 그는 수련을 위해 이탈리아 각지를 방랑하다가 피렌체에 거점을 두었다. 그리고 레오나르도 다 빈치나 미켈란젤로의 활약을 눈앞에서 목격하고, 그들의 양식을 열심히 배우면서 독자적인 회화 표현을 만들어냈다. 라파엘로의 대표작은 바티칸 궁전 '스텐차 델라 세나투라Stanza della Segnatura'에 그린 〈아테네 학당〉이다. 정확한 원근법에 기초한 좌우 대칭 구조가 아름다운 이 작품은 르네상스 미술의 한 도달점이 되었다.

모든 분야에 통달한 지(知)의 거인 〈레오나르도〉

13세부터 공방에 들어가
'본 것만 믿었던' 레오나르도

⬇

'스푸마토'나 '공기원근법' 등
혁신적 기법 확립

레오나르도 다 빈치
(1452-1519,
이탈리아 출생)
예술 이외에 음악,
천문학, 공학 등도 연구.
노후에는 의학에도
집중했던 만능인

그러데이션
기법 '스푸마토'
구사

레오나르도 다 빈치
〈라 조콘다(모나리자)〉
1503-1506년, 루브르 박물관, 파리

 원 포인트

모델에 대해서는 여러 설이 있는데,
덧칠하면서 어린 시절 생이별한 어머니의
모습을 겹쳤다는 설도 있다

라파엘로 산치오 〈아테네 학당〉
1509-1510년, 바티칸 궁전 '스텐차 델라 세나투라'

라파엘로 산치오
(1483-1520,
이탈리아 출생)
불과 37세에 생을
마감한 천재. '성모의
화가'라고도 불린다

10 네덜란드 왕국을 중심으로 꽃을 피운 '북방 르네상스'

아직도 정체가 밝혀지지 않은 '플랑드르의 거장'

르네상스의 파도는 이탈리아에만 머무르지 않았다. 동 시기에 유럽 북부의 몇몇 도시에 나타난 화가나 그 활동을 총칭해 '북방 르네상스'라고 부른다. 특히 오늘날 네덜란드와 벨기에를 합친 지역인 네덜란드 왕국Kingdom of the Netherlands에서는 모직물 등으로 번영을 맞이한 자치 도시가 많아, 르네상스의 중심지인 피렌체처럼 부유한 상인층이 자치 도시를 운영하는 유사 공화제가 실현되었다.

네덜란드 왕국 회화의 창시자는 '플랑드르의 거장'이라 불리며 오늘날에도 그 정체가 밝혀지지 않은 인물이다. 현재는 로베르 캉팽Robert Campin이라는 화가로 추측되지만, 아직 논쟁은 계속되고 있다. '플랑드르의 거장'은 성서의 주제를 일상적인 생활공간 속에 그리는 새로운 회화를 창조했다.

또한 거의 같은 시기 네덜란드 왕국에서는 반 에이크 형제도 활약하며 유채화 기법을 완성했다. 특히 동생 얀은 사실주의를 철저하게 확립했다.

네덜란드 왕국 남부에 있는 플랑드르 지방에서 16-17세기에 걸쳐 많은 화가를 배출한 브뤼헐Brueghel 가문은 '풍경화', '정물화', '풍속화'의 수많은 선구적 예를 남겼다. 이 세 장르는 이후 네덜란드에서 새로운 회화 장르가 되어 꽃을 피웠다.

그 밖의 지역에서는 독일 화가 뒤러가 이탈리아에서 배웠을 뿐만 아니라 이탈리아에 영향을 끼칠 정도의 존재감을 드러냈다.

획기적인 기법 '유채화'를 낳은 북방 르네상스

네덜란드 왕국(오늘날 네덜란드 + 벨기에)

⬇

상인들에 의한 유사 공화제

⬇

부유한 경제를 배경으로 '북방 르네상스' 탄생!

이탈리아 시점에서
봤을 때 알프스부터 북방

반 에이크 형제(50쪽)나
독일 뒤러(109쪽)도 활약!

플랑드르 거장의 정체 = 로베르 캉팽?

일상 공간에 그려진 수태고지

로베르 캉팽 〈수태고지(메로드
제단화 중앙 패널)〉
1427-1432년경, 메트로폴리탄 미술관
클로이스터스 분관, 뉴욕

네덜란드 회화의 선구자 '브뤼헐 가문'

피테르 브뤼헐(아버지)
〈추락하는 이카루스가 있는 풍경〉
1556-1558년경, 벨기에 왕립
미술관, 브뤼셀

내(이카루스)가
주인공이어야 하는데…

피테르 브뤼헐(아버지)

피테르 브뤼헐(아들)

내 자손도
화가야!

피테르 브뤼헐(아버지) 〈바벨탑〉
1563년, 미술사 박물관, 빈

얀 브뤼헐(아버지)

얀 브뤼헐(아들)

아브라함 브뤼헐

11 미켈란젤로가 창시한 선구적 양식, '마니에리스모 미술'

정확성보다 아름다움을 중시한 '마니에리스모'

미켈란젤로가 10대 때, 메디치가는 일찌감치 그의 재능을 알아보고 지원했다. 이윽고 그는 각지를 돌아다니며 회화, 조각, 건축 등 폭넓은 분야에서 활약했다. 24세 때 로마에서 조각한 〈피에타〉로 명성을 떨쳤다.

그런 그가 일생을 통틀어 유일하게 그린 판화 〈성 가족Tondo Doni(도니의 원형화로도 불린다)〉에는 마리아가 몸을 크게 비틀며 어깨 너머 아기 예수에게 손을 뻗는 모습이 그려져 있다. 이 포즈는 미켈란젤로가 창시한 '세르펜티나타Figura Serpentinata(나선 모양)'이다. 〈성 가족〉은 이 포즈가 처음으로 만들어진 시기의 예시로, 이후 '마니에리스모'의 시발점이 되었다. 그가 스스로 창시한 마니에리스모 양식은 시스티나 성당 제단에 그려진 〈최후의 심판〉에서 완성되었다.

'마니에리스모'는 세련 또는 기교를 의미하는 '마니에라Maniera'라는 이탈리아어에서 유래했다. 미켈란젤로는 르네상스 때 예술가지만, 그가 창시한 마니에리스모는 르네상스 미술에서 중시된 정확한 인체 파악이나 공간 표현의 합리성에서 벗어나 오직 아름다움만 추구했다. 16세기 종교 개혁의 폭풍이 유럽 전 지역을 휩쓸자 르네상스는 쇠퇴했고, 마니에리스모가 미술의 주류가 되었다. 머리나 신체가 부자연스러울 정도까지 늘어나도록 그려진 파르미자니노Parmigianino의 〈긴 목의 성모〉는 해부학을 고려한 르네상스 회화와는 다른, 마니에리스모의 대표작이 되었다.

16세기 중반-17세기 전반

신이 내린 재능을 지닌 미의 거인 '미켈란젤로'

미켈란젤로 부오나로티(1475-1564, 이탈리아 출생)
귀족 계급 출신. 88세에 세상을 떠날 때까지 정을
휘둘렀다. 조각이나 회화 외에 시나 건축에도 재능을
발휘했다

70세를 넘긴 후에 바티칸 성 베드로 대성당
건축은 확실히 힘들었지

'마니에리스모'를 예고한 작품

원 포인트

성모의
비튼 자세에
주목

미켈란젤로 부오나로티
〈성 가족(도니의 원형화)〉
1506-1508년, 우피치 미술관,
피렌체

미켈란젤로 부오나로티
〈최후의 심판〉
1536-1541년, 시스티나 성당,
바티칸

마니에라 = 세련·기교
(이탈리아어)

⬇

르네상스 회화와는 다르게
리얼리즘보다 아름다움이나
세련미를 중시했다

⬇

마니에리스모

파르미자니노 〈긴 목의 성모〉
1534-1539년경, 우피치 미술관, 피렌체

16세기

초기
마니에리스모
최고 걸작

원 포인트

성모의 목이나 아기
예수의 신체가 부자연
스럽게 늘어나 있다

12 감상자를 감정 이입하게 만드는 기법을 사용한 '바로크'

가톨릭 총본산의 공간을 창조한 베르니니

17세기 미술을 '바로크'라고 한다. 이 단어는 원래 '일그러진 진주'라는 뜻이다. 다만 이 시대의 미술은 다양한 전개를 보였기에 하나로 뭉뚱그려서 말하기란 어렵다. 그래도 한 가지 확실히 말할 수 있는 점은, 바로크는 16세기 종교 개혁의 영향을 크게 받았다는 점이다.

종교 개혁이 일어나면서 기독교는 가톨릭과 프로테스탄트로 분열했다. 프로테스탄트는 기독교 회화를 '우상 숭배'라고 강하게 비판했고, 가톨릭은 그 비판에 대항하기 위해 종교적 미술 작품을 한층 대대적으로 제작하게 되었다.

이때 의식한 사항은 현장감이나 극적인 표현, 보는 사람을 끌어당길 극장 같은 느낌이었다. 가톨릭은 미술을 통해 사람들의 감정에 호소하고, 신자를 확대하는 방향으로 이어가려 했던 것이다.

그런 극장형 바로크를 대표하는 사람이 이탈리아 예술가 베르니니Gian Lorenzo Bernini다. 로마의 산타마리아 델 비토리아 성당에는 베르니니의 〈성녀 테레사의 법열〉이라는 조각이 있다. 이 작품에서는 성녀 테레사와 천사를 중앙에 두고, 그 양쪽 벽면의 관객석에서 상체를 내밀고 기적을 지켜보는 사람들을 배치했다. 그래서 조각의 감상자에게도 무대를 정면에서 보고 있는 것 같은 착각이 일어난다. 감정 이입을 유도하는 가톨릭의 의도를 구현한 것이다.

그 외에도 베르니니는 로마의 광장, 분수, 다리, 교회, 궁전 등을 건축해 가톨릭의 총본산인 이 도시를 하나의 극장처럼 만들었다.

보는 사람을 끌어당기는 현장감을 표현한 '바로크'

프로테스탄트

종교화는 우상 숭배다!

아니야!

가톨릭

예수나 마리아는 손에 닿지 않는 존재. 좀 더 성스럽고 극적으로 그리게 하자

사람들이 감정 이입할 수 있도록 극적이고 장대한 아름다움

곡선이나 타원형을 이용한 '바로크'로

'감정을 이입하게 만든다'는 가톨릭의 의도를 구현한 베르니니

기적을 지켜보는 사람들

잔 로렌초 베르니니
(1598-1680
이탈리아 출생)
바로크 양식의 발전에
결정적인 역할을 한
조각가·건축가

잔 로렌초 베르니니 〈성녀 테레사의 법열〉
1645-1652년, 산타마리아 델 비토리아 성당
코르나로 예배당, 로마

천사에게 황금 창으로 꿰뚫린 성녀
테레사의 신비한 체험을 가시화

13 17세기 네덜란드에서는 왜 미술사에 남을 변혁이 일어났을까?

새로운 장르·기법이 확립된 '네덜란드 미술'

17세기 네덜란드는 미술사에서 다양한 변혁이 일어난 장소다. 16세기 종교 개혁이 일어나면서 네덜란드 왕국의 남부(오늘날 벨기에)는 가톨릭을 믿고 스페인의 비호를 받는 쪽을 선택했다. 반면 북부(오늘날 네덜란드)는 프로테스탄트를 믿고 독립을 선언했다. 가톨릭 국가들과 선명하게 대립각을 세운 것이다.

오늘날 네덜란드에 해당하는 이 지역이 소국이 되면서까지 그런 강경한 선택을 한 이유가 있다. 네덜란드가 무역을 통해 유럽에서 유일한 상업 대국이 되었기 때문이다. 상업의 요충지 네덜란드는 유럽 최초로 본격적인 시민사회를 이룩했다. 이에 따라 문화를 이끄는 주역도 왕후 귀족이나 교회에서 시민으로 배턴 터치했다.

예술도 시민을 위한 것이 되면서 미술 작품이 일반 가정에 널리 보급되었다. 다만 시민 개개인은 왕후 귀족이나 교회만큼 부를 가지지 못했기에 좀 더 저렴한 가격에 다루기 쉬운 유채 + 캔버스 조합의 소형 회화가 미술의 주류를 이루었다. 그림 주제로서도 또한 일반 가정의 식당이나 거실을 장식하는 데 어울리는 풍경화, 정물화, 풍속화가 독립된 회화 장르로 성립했다. 군주 단 한 사람이 아니라 시민 단체를 그리는 집단 초상화가 탄생한 장소도 이 시기 네덜란드였다.

이런 시대 상황을 배경으로, 17세기 네덜란드에서는 렘브란트나 페르메이르, 할스Frans Hals, 호흐Pieter de Hooch, 라위스달 등 개성적인 화가들이 활약했다.

시민을 위한 '네덜란드 예술'

1581년 가톨릭을 믿는 스페인에서 독립한 프로테스탄트 국가 네덜란드는 무역 경로를 전 세계로 확산하며 상업의 요충지로 대성공을 거뒀다

원 포인트

상인 단체가 힘을 가진 네덜란드에서는 길드의 활동 거점에 집단 초상화가 장식되었다

렘브란트

모델 한 사람 한 사람에게 돈을 받고 있으니, 닮지 않으면 쓴소리를 들을 텐데…

(1606-1669, 네덜란드 출생)

유채와 캔버스

렘브란트 하르먼스 판 레인 〈니콜라스 튈프 박사의 해부학 강의〉 1632년, 마우리츠하이스 미술관, 헤이그(네덜란드)

라위스달

지대가 낮은 네덜란드는 하늘과 지평선이나 수평선이 아름다워

(1628경-1682, 네덜란드 출생)

페르메이르

빛 표현이 강점이지

(1632-1675, 네덜란드 출생)

야코프 판 라위스달 〈베르크의 풍차〉 1668-1670년경, 국립미술관, 암스테르담

요하네스 페르메이르 〈진주 귀걸이를 한 소녀〉 1665년경, 마우리츠하이스 미술관, 헤이그(네덜란드)

14 아름답고 우아한 프랑스 귀족 문화의 상징, '로코코'

섬세하고 사랑스러운 느낌을 선호했던 '귀족을 위한 예술'

18세기, 태양왕 루이 14세 치하에서 절대왕정 국가를 완성한 프랑스는 국력이 충분해지면서 적극적으로 예술을 비호하기 시작했다. 1648년에 설립된 왕립미술아카데미는 회화 이론 교육이나 살롱(관전)을 정기적으로 개최하며 예술을 선도했고, 많은 예술가도 자연스럽게 프랑스에 모여들었다. 여기서 꽃 피운 양식이 '로코코'다.

로코코의 어원은 '로카이유Rocaille'라 불리는 장식으로, 인공 동굴을 장식하기 위한 조개껍데기나 작은 조약돌을 말한다. 이름의 유래처럼, 로코코의 특징은 곡선을 많이 사용한 과도한 장식 표현이다. 왕국의 지원으로 운영된 아카데미와 귀족들이 모이는 사교의 장, 살롱의 영향력이 강한 이 시대에서 그런 귀족의 취향이 인기를 얻었기 때문이다.

귀족 예술 로코코에서는 섬세하고 사랑스러운 느낌을 선호했다. '우미한 신화화'라 불리는 부셰François Boucher의 작품을 필두로, 인물을 매우 사랑스럽게 표현했다. 또한 와토Jean Antoine Watteau의 '우아한 연회fête galante(페트 갈랑트)' 〈키테라섬으로의 순례〉나 프라고나르의 〈그네〉(57쪽) 등 귀족의 향락적 유희를 다룬 회화도 다수 제작되었다.

반면, 당시 유럽에서는 귀족에 대한 불만도 높아져 18세기 말에는 프랑스 혁명이 일어난다. 그런 시류 속에서 샤르댕Jean Baptiste Siméon Chardin은 조용하고 태평한 시민의 생활을, 스페인의 궁정 화가 고야는 후에 시민 계급의 분노를 그렸다.

화려하고 경쾌한 예술 '로코코'

프랑스의 태양왕 루이 14세
1648년 '왕립미술아카데미' 설립

짐은 곧
국가다

⬇

살롱(관전)을
정기적으로 개최한다 ➡ 예술가가
프랑스로 모여든다 ➡ '로코코' 양식 탄생

로코코 = 곡선을 많이 사용한, 과도한 장식적 표현

프랑수아 부셰

신화라면 누드도 OK

(1703-1770, 프랑스 출생)

프랑수아 부셰 〈다이아나의 목욕〉
1742년, 루브르 박물관, 파리

모리스 켕탱 드 라투르

파스텔로
그렸어

(1704-1788,
프랑스 출생)

앙투완 와토

귀족들 사이에서는 사랑의
여신 비너스에게 운명의 짝을 간청하는
순례가 유행했어

(1684-1721, 프랑스 출생)

비너스상

모리스 켕탱 드 라투르
〈퐁파두르 부인〉
748-1755년, 루브르 박물관, 파리

앙투완 와토 〈키테라섬으로의 순례〉
1717년, 루브르 박물관, 파리

15 유적 발굴을 계기로 일어난 '신고전주의'

이른바 복고 예술이지만 정치 선언에 이용되는 경향도 있었다

1789년에 프랑스 혁명이 시작되면서 귀족 문화 로코코는 쇠퇴했다. 그 대신 '신고전주의'가 미술의 새로운 양식으로 등장했다. 그 계기는 1738년에 시작된 헤르쿨라네움Herculaneum이나 폼페이 등 고대 로마 유적의 발굴이었다. 유럽 사람들의 관심은 고대로 향했다.

독일 고고학자 빙켈만Johann Joachim Winckelmann은 고대 미술을 총칭하는 이론서 《그리스 예술 모방론Gedanken Uber die Nachahmung Griechischen Werkeinder Malerei Bildhauerkunst》을 간행해 반향을 불러일으켰고, 회화에서는 이탈리아 화가 피라네시가 그린 고대 도시를 주제로 한 판화 작품이 인기를 끌었다. 이렇게 유럽 전역에서 르네상스 이래로 고대 붐이 다시 일어나면서, 아카데미에서는 고대 그리스 예술과 이를 부활시킨 르네상스 고전주의, 특히 라파엘로(130쪽)의 양식이 이상적 양식이 되었다.

신고전주의는 고전을 모방한 정연한 구도와 고도의 소묘 기술로 뒷받침되는 철저한 사실주의가 특징이다. 신고전주의는 프랑스 화가 다비드Jacques Louis David가 선도했고, 그의 제자인 앵그르Jean Auguste Dominique Ingres가 완성했다. 다비드의 〈호라티우스 형제의 맹세〉나 앵그르의 〈호메로스의 예찬〉 등이 신고전주의의 대표작이다.

신고전주의는 혁명의 기운을 받아 고대 공화정을 이상으로 삼았다. 하지만 나폴레옹이 제정을 선언했고, 다비드는 경향을 바꿔 나폴레옹의 프로파간다Propaganda(선전)를 위한 작품을 그리게 되었다.

18세기 후반-19세기 전반

고대 유적 발굴을 계기로 확립된 '신고전주의'

프랑스 혁명이 발발하면서 공화정을 이상(理想)시	고대 로마 유적의 발굴로 고대 붐 도래

'신고전주의'
고전을 모방한 구도와 철저한 사실주의

당시 사람들을 열광시킨 '폼페이 유적' 발견

건물뿐만 아니라 사람의 유체, 벽화까지 선명한 상태로 발굴되었다

장 오귀스트 도미니크 앵그르

(1780-1867, 프랑스 출생)

〈폼페이 유적〉

자크 루이 다비드

(1748-1825, 프랑스 출생)

자크 루이 다비드 〈호라티우스 형제의 맹세〉
1784년, 루브르 박물관, 파리

장 오귀스트 도미니크 앵그르
〈왕좌에 앉은 나폴레옹 1세〉
1806년, 군사 박물관, 파리

16 신비성·연극성을 예술에 반영한 '낭만주의'

르네상스 이전의 중세 문화를 재평가하는 움직임에 의해 탄생

'낭만주의Romanticism'는 신고전주의보다 조금 늦게 등장했다. 낭만이라는 뜻의 로망은 중세 기사도 이야기(로맨스)가 어원으로, 르네상스 이전에 존재한 중세 문화를 재평가하려는 움직임에서 시작되었다. 이 배경에는 18세기 후반 산업 혁명 이후, 급속도로 근대화하는 유럽 사회에 대한 사람들의 불안감이 있었다. 또한 규범의식이 강한 신고전주의에 대한 반발도 있었다.

그래서 낭만주의에서는 르네상스 이후 경시되기 십상이던 개인의 감정에 무게를 두었다. 신고전주의가 소묘나 사실을 중시하는 데 반해, 낭만주의는 '개인의 감성'을 중시했다.

그림의 주제로는 극적인 요소를 추구해, 역사화나 신화화뿐만 아니라 생생한 역사적 사건도 채용했다. 앞에서 소개한 프랑스 화가 제리코의 〈메두사호의 뗏목〉(59쪽) 등이 그 대표작이다. 낭만주의에서는 명확성보다 신비성에 무게를 두었기에 기법 측면에서 선명한 색채나 대담한 필치가 좀 더 중시되는 경향이 있다.

이런 낭만주의는 제리코가 스타트를 끊고, 제자인 들라크루아가 주도했다. 들라크루아는 동시대 신고전주의 화가 앵그르와는 경쟁관계였다. 영국에서는 퓌슬리Henry Fuseli나 블레이크가 낭만주의 예술가로서 활약했다. 다만 낭만주의는 매우 다양한 전개를 보였기에 하나로 통합해 이야기하기란 어렵다.

18세기 후반-19세기 전반

극적인 화면 구성과 선명한 색채 표현의 '낭만주의'

| 급속한 근대화에 대한 불안 | 신고전주의에 대한 반발 |

문학을 선두로 '낭만주의' 발전
'개인의 감성'을 중시, 선명한 색채와 대담한 필치

외젠 들라크루아

(1798-1863,
프랑스 출생)

원 포인트

깃발을 꼭대기에 둔 피라
미드 구조는 제리코의
〈메두사호의 뗏목〉과
비슷하다

외젠 들라크루아 〈7월 28일-민중을 이끄는 자유의 여신〉
1830년, 루브르 박물관, 파리

헨리 퓌슬리

(1741-1825, 스위스 출생)

윌리엄 블레이크

(1757-1827,
영국 출생)

헨리 퓌슬리 〈악몽〉
1781년, 디트로이트 미술관, 미국

윌리엄 블레이크
〈옛적부터 항상
계신 이〉
1794년,
대영박물관,
런던

17 리얼리즘을 철저하게 추구한 근대 선구자들

쿠르베의 〈목욕〉을 본 나폴레옹 3세는 "추하다"고 혹평했다

18세기 후반부터 19세기 중반까지, 유럽 미술은 큰 전환점을 맞는다. 르네상스 이래 라파엘로를 정점으로 한 고전지상주의나 아카데미즘의 권위가 쇠퇴하기 시작한 것이다.

그 선구자 중 한 명이 프랑스 화가 쿠르베Gustave Courbet다. 신고전주의 화가들은 사물을 올바르게 파악하는 데 능했다. 하지만 그들은 현실 세계에 존재하는 것을 그대로 그리지 않고, 아카데미즘이 정의하는 '아름다움'에 규정된 이상적 세계를 그렸다. 이에 반해 쿠르베는 아카데미즘의 가치관에 반기를 들고, 대상을 있는 그대로 재현하는 '사실주의'를 주장했다. 쿠르베가 그린 〈목욕하는 여인〉에서는 여인의 나체에 지방이 붙어 있고, 피부에는 주름이 잡혀 있다. 당시의 이상적 아름다움과는 거리가 먼 묘사다. 살롱에서는 박하게 평가했고, 이 그림을 본 나폴레옹 3세는 "추하다"고 혹평했다. 하지만 그것이야말로 화가가 노렸던 점이다.

그 밖에 19세기 프랑스에 등장한 '외광파(플랭 에르Plein-air)'는 아틀리에에 박혀 이상적 풍경화를 그리는 게 아니라, 햇빛이나 바깥 공기에 의해 변화하는, 있는 그대로의 자연을 그리고자 했다. 그중에서도 코로Jean Baptiste Camille Corot, 밀레, 루소Théodore Rousseau는 파리 근교의 퐁텐블로 숲에 있는 바르비종 마을에 모였다. 그래서 그들을 '바르비종파'라고 부르기도 한다.

쿠르베나 바르비종파의 활동은 이후 인상파의 대두로 이어진다.

이후 '인상파'로 이어지는 선구자들

고전지상주의 — 쇠퇴 — 아카데미즘의 권위

아카데미즘의
미의 규칙 따위
알 바 아냐!

기존 미의 규칙에 반기를 든
쿠르베의 도전

라파엘로

아카데미즘의
근원은 나야

귀스타브 쿠르베

(1819-1877, 프랑스 출생)

나폴레옹
3세가 혹평

원 포인트

지방이나 주름이
생생하다. 포장이나
미화 없이 사실주의
실현

**귀스타브 쿠르베
〈목욕하는 여인〉**
1853년, 파브르 미술관,
몽펠리에(프랑스)

우리 바르비종파는 대기나
햇빛을 색채로 파악해 본래의
풍경을 매력적으로
그리고자 했어

장 프랑수아 밀레

(1814-1875,
프랑스 출생)

**장 밥티스트
카미유 코로**

(1796-1875,
프랑스 출생)

**장 밥티스트 카미유 코로
〈진주 장식을 한 여인〉**
1868-1870년경, 루브르 박물관, 파리

장 프랑수아 밀레 〈만종〉
1857-1859년, 오르세 미술관, 파리

18 디테일을 신경 쓰지 않고 대상을 대담하게 그린 '인상파'

모네의 〈인상, 일출〉이 혹평받으며 '인상파'라는 호칭이 나오다

미술사에서 가장 인기 있는 '인상파'는 19세기 후반 프랑스에서 탄생했다. 1874년 당시 아카데미즘이나 살롱에서 딱히 좋은 평가를 받지 못한 화가들을 모아 '화가, 조각가, 판화가 등에 따른 공동출자 회사 제1회전'이라는 전람회를 열었다. 거기에 출품한 모네의 〈인상, 일출〉이 비평가들에게 혹평을 들으며 인상파라는 호칭이 만들어졌다.

후대에 '제1회 인상파전'이라고도 불리는 이 전람회에 출전한 모네, 르누아르Pierre-Auguste Renoir, 시슬레Alfred Sisley, 피사로Camille Pissarro, 드가, 마네 등이 인상파의 대표적인 화가들이다. 그중에서도 모네는 '인상파란 모네가 한 실험'이라 할 정도로 인상파의 중심이었다.

모네의 지향점은 찰나의 이미지가 남긴 인상이다. 예컨대 〈개양귀비꽃Coquelicots〉에서는 내리쬐는 햇빛 속에서 선명한 색을 뿜내는 꽃잎 군단이 눈에 새겨졌을 때의 '인상'을 그리려 했다. 이를 위해 세부를 사실적으로 묘사하는 일은 지각이 작용하는 것이기 때문에 어울리지 않는다. 디테일을 거르고, 생략이나 간소화를 과감히 이용하면서 '인상'을 충실히 재현하는 것이 인상파의 특징이다.

모네는 인상파를 위한 이론도 정립했다. 자연에 존재하지 않는 '절대적 검정'의 사용을 관두고, 명도가 낮은 탁한 색을 되도록 피했다. 캔버스에 원색이나 원색에 가까운 색을 근처에 둬 멀리서 보면 이상적인 색이라고 지각할 '색조 분할'이라는 기법을 고안했다. 이를 '무지개의 팔레트'라고도 한다.

본 '인상' 그대로를 그린 '인상파'

클로드 모네

(1840-1926, 프랑스 출생)

일본의 미술도
정말 좋아했어
(자포니즘 150쪽)

혹평 ➡ '인상파'의 유래

클로드 모네 〈인상, 일출〉
1872년, 마르모탕 박물관, 파리

'색채 분할'

자연에 존재하는 색은
'빨강·파랑·노랑'
예컨대 녹색을 표현하려면 파랑과
노랑을 세밀한 터치로 병치하여
착각을 일으킨다

클로드 모네 〈개양귀비꽃〉
1873년, 오르세 미술관, 파리

피에르 오귀스트 르누아르

(1841-1919,
프랑스 출생)

예순 줄에
이르기까지
인정받지 못해
가난했어

오귀스트 르누아르 〈물랭 드 라 갈레트〉
1876년, 오르세 미술관, 파리

19 유럽 전역을 강타한 일본 미술의 충격, '자포니즘'

명성이 자자한 화가들에게 다대한 영향을 끼친 일본 문화

굳게 문을 걸어 잠그고 있던 일본이 19세기 중반 그 문을 열자, 대량의 일본 문화가 해외로 전해졌다. 그 결과 유럽 전역에서 일본 붐이 일어났다. 유럽 전통과는 완전히 다른 형태로 독자적 발전을 이룩한 일본 미술에 당시 화가들은 큰 충격을 받았다.

일본 미술이 서양 미술에 영향을 끼친 초기 단계에서는 일본의 기모노나 공예품, 우키요에 등을 희귀한 소도구로 작품에 등장시키는 것이 유행이었다. 기모노를 입고 부채를 든 백인 여성을 그린 모네의 〈기모노를 입은 카미유Camille Monet in a Japanese Costume〉 등이 그 대표작이다. 이 그림은 배치된 소도구는 일본적이지만, 기법 자체는 기존 서양화 구조로 그려졌다. 이 단계를 '자포네즈리'라고 한다.

하지만 20세기 초반에 그려진 클림트의 〈아델레 블로흐 바우어의 초상 IPortrait of Adele Bloch-Bauer I〉에서는 일본의 금박 장벽화를 모방해 배경을 금박으로 처리하고, 서양화 전통 원근법을 무시했다. 또한 여성이 입는 드레스 문양은 일본 가문이나 공예품에 있는 기하학 문양을 응용했다. 즉 일본이라는 모티브를 소도구로 사용하지 않고, 일본 미술의 조형 원리 그 자체를 적용한 것이다. 클림트나 고흐가 시작한 이 단계를 '자포니즘'이라고 한다.

자포니즘에서는 음영을 넣지 않은 평면적인 화면 처리나 모티브의 대담한 배치, 선명한 색채 등 이른바 일본 미술의 요소를 탐구하고 서양 미술에 적극 적용했다.

모네도 클림트도 고흐도 매료된 '일본 미술'

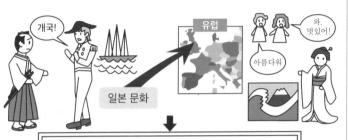

개국!

와, 멋있어!

유럽

아름다워

일본 문화

**인상파, 후기 인상파, 아르누보에 영향
'자포니즘'**

구스타프 클림트

(1862-1918, 오스트리아 출생)

클로드 모네 〈기모노를 입은 카미유〉
1876년, 보스턴 미술관, 미국

**구스타프 클림트
〈아델레 블로흐 바우어의 초상 I〉**
1907년, 노이에 갤러리, 미국

↔

**오가타 고린
〈홍백매도 병풍〉(국보)**
18세기, MOA미술관,
시즈오카

빈센트 반 고흐

(1853-1890,
네덜란드 출생)

**빈센트 반 고흐
〈일본풍: 빗속의 다리
(대교 아타케의 소나기)〉**
1887년, 반 고흐 미술관,
암스테르담

↔

**우타가와 히로시게
〈명소에도백경 대교 아타케에
갑자기 쏟아진 소나기〉**
1857년,
국립 국회도서관, 도쿄

20 '인상파'를 더욱 발전시킨 '후기 인상파'와 '신인상파'

고갱, 고흐, 세잔…미술사의 전환점

1880년경부터 1890년대까지에 걸친 짧은 기간 동안 인상파를 발전시키고자 방법을 모색한 화가들의 활동이 활발해졌다. 그 대표 화가들은 고갱, 고흐Vincent van Gogh, 세잔Paul Cézanne 등인데, 이들을 '후기 인상파'라 부른다. 후기 인상파는 이후 미술 발전을 촉진했다.

고갱은 여러 색으로 구성된 대상물에서 특정 색만을 추출해 재구성하는 기법으로 '포비즘'(156쪽)의 선구자가 되었다. 또한 평탄한 색면을 어두운 색의 윤곽선으로 감싸는 표현은 '나비파'로 전승되었다.

고갱의 친구였지만 이후 그와 사이가 틀어진 고흐는 원색 그 자체를 몹시 거친 터치로 덧바르는 기법을 사용했고, 짧은 생애 중 방대한 양의 작품을 남겼다. 고흐의 삶의 방식과 맹렬한 필치는 후세 화가들에게 엄청난 영향을 끼쳤다. 또한 세잔은 대상을 단순한 형태로 환원하는 기법을 사용해 '큐비즘'이나 '미래파'(156쪽), '추상주의' 등의 선구자가 되었다.

한편 인상파의 기법을 그대로 이어받아 더욱 발전시키려는 화가들도 있었다. 쇠라Georges Pierre Seurat나 시냐크Paul Signac 등의 화가들은 명도를 낮추지 않으려 혼색을 피하는 인상파의 이론을 추구했고, 작은 물감의 점만으로 전체 화면을 그리는 점묘 기법을 만들어냈다. 그래서 그들을 '점묘파' 혹은 '신인상파'라고 부른다.

한 가지 색을 점의 집합으로 간주하는 과학적 사고는 20세기 회화 이론으로도 중요한 자리를 차지했다.

인상파가 낳은 '후기 인상파' '신인상파'

```
                        인상파
        ┌───────────────────┴───────────────────┐
  인상파에서 새로운 예술을 모색          인상파를 더욱 추구
        후기 인상파                      신인상파(점묘파)
      고갱, 고흐, 세잔 등                   쇠라, 시냐크 등
   ┌────────┬────────┬────────┬────────┐
  포비즘    나비파    큐비즘    미래파   추상주의
```

폴 고갱
(1848-1903,
프랑스 출생)

고흐와 사이가
좋았었는데…

폴 고갱
〈이아 오라나 마리아
(아베 마리아)〉
1891년, 메트로폴리탄
미술관, 뉴욕

폴 세잔
(1839-1906,
프랑스 출생)

현대 미술의
아버지라고 불리지만,
예전엔 딱히
평가받지 못했어

폴 세잔 〈정물〉 1893년, 개인 소장

조르주 쇠라
(1859-1891,
프랑스 출생)

점묘에는
과학과 계산이
필요해

조르주 쇠라 〈그랑드 자트섬의 일요일 오후〉
1884-1886년, 아트 인스티튜트, 시카고

폴 시냐크
(1863-1935,
프랑스 출생)

쇠라 사후에는
점을 크게
해봤어

폴 시냐크 〈베네치아 대운하 입구〉
1905년, 톨레도 미술관, 스페인

21 눈에 보이지 않는 것이나 신비한 것을 시각화한 '세기말 미술'

기계화로 대량 생산이 시작되는 데 대한 반동에서 탄생하다

19세기 말은 아카데미주의 예술에 대한 반발로 다양한 지역과 분야에서 비슷한 경향을 지닌 예술 활동이 활발히 일어난 독특한 시대다. 이 활동들을 통틀어 '세기말 미술'이라고 한다.

세기말 미술의 배경에는 산업 혁명 이후 기계로 대량 생산이 시작된 것에 대한 잠재적 저항감이 있었다. 기계에 대한 반발로, 인간의 내면에 있는 감각이나 신비한 관념 등을 중시하고 시각화하려는 '상징주의'가 세기말 미술의 가장 핵심이 된 것이다.

상징주의를 대표하는 화가는 프랑스의 모로Gustave Moreau나 르동Odilon Redon이다. 그들은 이후 '추상회화'나 '초현실주의(쉬르레알리즘Surréalisme)'의 선구적 작품을 제작했다. 또한 영국에서는 밀레이John Everett Millais나 로세티Dante Gabriel Rossetti가 '라파엘 전파' 활동을 주도했다. 라파엘 전파는 라파엘로를 미의 규범으로 여기는 아카데미즘의 자세를 비판하고, 그 이전인 중세로의 회귀를 주장했다. 프랑스에서도 중세 느낌의 식물 문양을 모티브로 사용한 '아르누보'가 유행했다.

동일한 시기에 빈에서는 클림트를 필두로 '빈 분리파(제체시온Sezession)'가 창설되었고, 독일에서는 슈투크Franz von Stuck가 '뮌헨 분리파'를 결성했다. 이들은 모두 '탐미주의'라 부르는 관능적이고 퇴폐적인, 때로는 환상적인 표현을 특징으로 한다.

이 활동들은 미술에 그치지 않고 패션, 사업 광고, 음악, 연극, 문예 등과도 연계해 전 세계로 확산했다.

19세기 말~20세기 초반

근대화에 대한 반발로 동시다발적으로 일어난 '세기말 미술'

근대화에 대한 반발과 중세로의 회귀

↓

세기말 미술의 탄생

상징주의 = 인간 내면의 감각이나 신비감을 시각화
라파엘 전파 = 라파엘로를 비판하고 그 이전으로 회귀
아르누보 = 중세풍 식물 등의 문양을 모티브로 사용
빈 분리파·뮌헨 분리파 = 관능적·퇴폐적·환상적 표현이 특징

귀스타브 모로

(1826-1898,
프랑스 출생)

**귀스타브 모로
〈출현〉**
1876년,
루브르 박물관,
파리

오딜롱 르동

(1840-1916,
프랑스 출생)

오딜롱 르동 〈키클롭스〉 1914년경
크뢸러 뮐러 미술관, 오테를로(네덜란드)

존 에버렛 밀레이

(1829-1896, 영국 출생)

존 에버렛 밀레이 〈오필리아〉
1851-1852년, 테이트 브리튼, 런던

알폰스 무하

(1860-1939,
오스트리아 출생)

**알폰스 무하
〈잔 다르크(부분)〉**
1909년,
메트로폴리탄 미술관,
뉴욕

22 정육면체를 쌓은 듯 보이는 '큐비즘'

인간의 가슴과 엉덩이가 동시에 정면을 향하는 정육면체 같은 표현

20세기에 들어서자, 미술은 매우 다양하게 발전했다. 1905년 파리
에서 열린 가을 전람회(살롱 도톤느)에는 마티스Henri Matisse나 드랭André
Derain 등 선진 화가들의 작품이 다수 전시되었다. 그들의 작품은 강렬
한 색채와 자연을 변형시킨 형태(데포르메Déformer)를 띠고 있어 '야수
Fauves'라 불렸다. 여기서 '야수파(포비즘Fauvisme)'라는 단어가 탄생했다.

야수파에 속한 많은 화가가 세기말 상징주의 화가 모로의 가르침
을 받았다. 양식은 달라도 전통적인 원근법이나 색채 배치를 따르지
않는 자유분방함은 모로의 가르침 산물이라 할 수 있다. 또한 색채
감각은 고갱의 영향을 강하게 받았다.

이 야수파로부터 몇 년 늦게 '큐비즘Cubism'이 등장했다. 큐비즘은
'공간의 존재 방식'에 대한 상식을 파괴하고, 그리는 대상의 다양한 면
을 각각 떨어뜨려 해체하고 재구축하는 기법을 만들어냈다. 예컨대
사람을 그릴 때 현실에서는 동시에 보일 리 없는 가슴과 엉덩이를 모
두 정면을 향하게 표현한다. 그렇게 그려진 작품은 정육면체(큐브)를
쌓은 것처럼 보인다 해서 큐비즘이라는 이름을 얻었다.

이 기법은 피카소Pablo Ruiz y Picasso나 브라크Georges Braque가 선도
했다. 또한 형태를 파악하는 방식은 세잔의 영향을 받았다.

이 큐비즘의 영향을 받은 이탈리아의 젊은 화가들은 전 세기까지
의 문화를 부정하고 20세기의 새로운 요소인 '속도·운동·빛·기계'를
긍정적으로 표현하려 했다. 그들을 '미래파'라고 부른다.

회화에서 사물을 보는 법과 공간의 존재 방식을 바꾼 '야수파와 큐비즘'

 전통적인 원근법이나 색채 배치를 따르지 않은 모로

 독특한 색채 감각을 지닌 고갱

야수파
강렬한 색채 + 자연을 변형시킨 형태

적은 수의 색으로 약동감을 표현했지

앙리 마티스
(1869-1954, 프랑스 출생)

앙리 마티스 〈춤II〉 1909-1910년, 예르미타시 미술관, 상트페테르부르크

형태의 단순화를 모색한 세잔

큐비즘
르네상스 이후 존재한 '공간의 존재 방식'에 대한 상식을 파괴

파블로 피카소 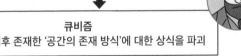 큐비즘의 선도자는 나야

(1881-1973, 스페인 출생)

23 전통적 예술 양식이나 기존 질서를 부정하려 한 '다다이즘'

전쟁을 계기로 염세관이나 비판 정신을 표현하는 예술이 탄생하다

1914년 시작된 제1차 세계대전은 총이나 이동 통신 수단이 발달하며 그 전과는 비교되지 않을 정도로 비참한 살육의 장이 되었고, 대량의 사상자가 발생했다. 이 참화를 체험한 사람들의 사이에서는 허무감이 퍼졌다. 또한 정치나 사회 체제에 대한 반발심이 가파르게 높아졌다.

그런 시기에 염세관이나 비판 정신으로 뒷받침된 예술이 유럽과 미국 등에서 자연스럽게 생겨났다. 이 움직임을 '다다이즘Dadaism'이라고 한다. 세계대전 중인 1916년 스위스에서 활동하던 프랑스 시인 트리스탕 차라Tristan Tzara가 그런 방향성을 가진 예술을 '다다'라 명명한 데서 이 명칭이 정착했다. '다다'라는 단어 자체에는 의미가 없고, 사전을 적당히 열어 발견한 단어였다(차라는 이를 통해 허무함을 표현하려 했다).

전통적 예술 양식이나 기존 질서를 부정하거나 파괴하려는 목적을 가진 다다이즘의 운동은 세계 각지로 퍼졌다. 그 대표 예술가가 세계대전 중 뉴욕에서 활동한 프랑스인 뒤샹Marcel Duchamp이다. 뒤샹은 1917년, 자신이 심사위원을 맡은 전람회에 익명으로 어디에서나 팔고 있는 기성품 변기를 그대로 출품했다. 이 작품은 진열을 거부당했지만, 뒤샹이 노린 바는 '예술이란 무엇인가?', '아름다움이란 어떤 것인가?'를 되묻는 것이었다.

이런 근본적 질문으로 이어지는 비판 정신은 현재에 이르기까지 현대 미술의 중요한 주제가 되고 있다.

염세관이나 비판 정신을 표현하는 예술 '다다이즘'

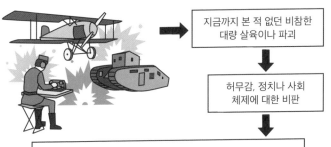

지금까지 본 적 없던 비참한 대량 살육이나 파괴

↓

허무감, 정치나 사회 체제에 대한 비판

↓

전통적인 예술 양식이나 기존 질서에 대한 부정이나 파괴
= 다다이즘

라울 하우스만

(1886-1971, 오스트리아 출생)

'다다의 철학자'라 불리지

마르셀 뒤샹

(1887-1968, 프랑스 출생)

외양이 아니라 개념(콘셉트)이 중요해

라울 하우스만
〈기계 두상(우리 시대의 정신)〉
※ 실물 사진을 일러스트로 표현했다

원 포인트

자와 기계 부품을 붙인 목제 마네킹의 두상은 전통적인 대리석상이나 동상에 대한 비판 정신의 발로

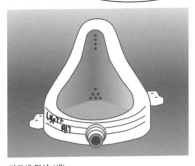

마르셀 뒤샹 〈샘〉
※ 실물 사진을 일러스트로 표현했다

24 테크놀로지에서 새로운 아름다움을 만들어내려 한 '바우하우스'

건축가 그로피우스를 중심으로 독일에 창설된 미술 학교

큰 희생을 낸 제1차 세계대전은 아이러니하게도 테크놀로지의 발전을 촉진했다. 발전된 테크놀로지는 일용품이나 이동 수단, 통신기기 등의 형태로 일상생활에 들어왔다. 산업 혁명 이후 예술은 기본적으로 문명의 진보에 대해 비판하고 있었지만, 어느새 기계나 기술은 인간의 삶에서 떼려야 뗄 수 없는 존재가 되어 있었다. 전쟁이 끝나자, 이를 적극적으로 받아들여 새로운 아름다움을 창조하려는 움직임이 일어났다. 그 대표적 존재가 '바우하우스Bauhaus'다.

바우하우스란 1919년 건축가 그로피우스Walter Gropius를 중심으로 독일에 창설된 미술 학교다. 바우하우스에서는 공업화에 따른 대량생산을, 모든 사람이 계층을 넘어 문명의 은혜를 평등하게 누리기 위한 수단으로 보았다. 그 실천으로 식기나 벽지, 행주 등 다양한 공업 디자인을 탐구했다.

이 학교에서는 클레Paul Klee나 칸딘스키Wassily Kandinsky 등 일선에서 활약하는 예술가들이 교육을 담당했다. 하지만 나치스가 대두하면서 1933년에 강제 해산되었다.

사실, 예술은 종교적 또는 정치적 선전 수단으로 이용되게 마련이다. 현대 미술은 그런 속박으로부터 해방되려 했지만, 제2차 세계대전이 시작되자 각국의 정부는 프로파간다 효과를 기대하며 노골적으로 예술에 간섭했다. 특히 구소련이나 전쟁 전과 전쟁 중의 독일, 이탈리아에서 더욱 뚜렷하게 보였다.

근대 디자인의 기초가 된 '바우하우스'

전쟁은 늘 새로운 테크놀로지의
발전을 가져온다

⬇

새로운 테크놀로지는 일상생활에
꼭 필요한 것이 되었다

⬇

• 건축가 그로피우스를 중심으로
독일에 창설된 학교
• 공업 디자인 탐구가 목적

= 바우하우스

발터 그로피우스

바우하우스는
중세 공방이
모델이었어

(1883-1969, 독일 출생)

파울 클레

(1879-1940,
스위스 출생)

바실리 칸딘스키

(1866-1944, 러시아 출생)

파울 클레 〈파라나소스산〉
1932년, 베른 미술관, 스위스

바실리 칸딘스키 〈연속〉
1935년, 필립스 컬렉션, 워싱턴

25 프로이트 정신 분석 이론에 영향을 받은 '초현실주의'

'무의식의 힘'에서 새로운 예술의 가능성을 보다

다다이즘의 이론적 지주 중 한 명인 프랑스 시인 앙드레 브르통 André Breton은 트리스탕 차라와의 대립을 계기로 다다이즘에서 나와, 1924년 《초현실주의 선언》을 발표한다. 브르통이 제창한 '초현실주의(쉬르레알리즘)'이라는 새로운 예술은 프로이트의 정식 분석 이론에 영향을 받아, 의식 밑·인식 밑에 있는 예측할 수 없는 무의식의 힘에서 새로운 예술 창조의 가능성을 보았다.

브르통의 이 주장은 회화, 문학, 음악 등 모든 예술 분야로 확산되었다. 《초현실주의 선언》이 발표된 같은 해 말에는 잡지 〈초현실주의 혁명〉이 발행되었는데, 에른스트Max Ernst나 키리코Giorgio de Chirico, 피카소의 작품들이 게재되었다. 큐비즘을 창시한 피카소는 후년 초현실주의로 관심을 옮겼다. 또한 키리코의 작품에 감동한 마그리트René Magritte도 초현실주의에 깊게 발을 담갔다.

초현실주의 이후 현대 미술에 대해서는 무척 다양한 경향이 생겨나, 각각 세분화했기에 한마디로 설명할 수 없다.

다만 그런 현대 미술이 공통적으로 품고 있는 문제가 두 가지 있다. 첫 번째는 인터넷의 등장으로 누구나 자유롭게 작품을 발표할 수 있게 되어 프로와 아마추어의 경계가 애매해졌다는 점이다. 두 번째는 문맹률이 높은 시대에 회화가 담당하던 미디어로서의 역할이 거의 소멸했다는 점이다. 그래서 현대에서 미술은 취향 표현의 장이나 자기표현의 측면이 강해졌다.

환상이나 부조리가 만들어낸 새로운 예술의 세계 '초현실주의'

1924년

다다이즘의 중심인물 중 하나
앙드레 브르통의《**초현실주의 선언**》발표

앙드레 브르통
(1896-1966, 프랑스 출생)

무의식 = 예측 불가, 새로운 예술 창조의 가능성

초현실주의

막스 에른스트
(1891-1976,
독일 출생)

조르조 데 키리코
(1888-1975,
그리스 출생)

르네 마그리트
(1898-1967, 벨기에 출생)

원 포인트

가족의 사랑이나 단결이 테마
전통적이고 정교한 사실적
기법을 이용해 현실에는 있을 수
없는 세계를 만들어낸다

르네 마그리트 〈대가족〉
1963년, 우쓰노미야 미술관,
도치기(일본)

세계 4대 미술관 ④
프라도 미술관

스페인 마드리드에 위치한 프라도 미술관은 스페인 왕실의 수집품을 전시한 곳이다. 스페인 왕실은 16세기 펠리페 2세와 17세기 펠리페 4세 시대에 미술품 수집의 초석을 다졌고, 그 미술품들을 전시할 목적으로 1819년 왕립 미술관을 개관했다. 1868년에 혁명이 일어나자 미술관의 이름은 프라도 미술관으로 바뀌었고, 오늘날은 스페인의 국립미술관이 되었다.

소장된 미술품은 회화 약 8,600점, 조각 700점 이상으로, 전시된 작품들은 그 일부다. 특히 스페인 회화 수집품이 풍부해, 12세기 로마네스크 양식의 벽화부터 근현대 작품까지 소장하고 있다. 그중에서도 스페인에서 활약한 세 명의 화가, 엘 그레코El Greco, 디에고 벨라스케스, 프란시스코 고야Francisco José de Goya y Lucientes의 작품이 충분히 전시되어 있어 눈길을 잡아끈다.

주요 소장 작품으로는 엘 그레코의 〈양치기들의 예배Adorazione dei pastori〉나 벨라스케스의 〈시녀들Las Meninas〉, 고야의 〈벌거벗은 마하〉 〈옷을 입은 마하〉 외에 히에로니무스 보스의 〈쾌락의 정원〉, 루벤스Peter Paul Rubens의 〈미의 세 여신〉, 무리요의 〈원죄 없는 잉태〉 등이 있다.

2007년에는 신관(헤로니모스관)이 증축되는 등 현재에도 미술관의 규모는 계속 커지고 있다. 또한 개관 200주년을 맞이한 2019년에는 〈프라도 미술관-경이로운 소장품〉이라는 영화도 제작되었다.

제5부

'우의화', '성서화', '신화화'에 숨은 암호를 해독하다

Jan van Eyck
Jean-François Millet
Gustav Klimt
Raffaello Sanzio
Pablo Picasso
Johannes Vermeer

01 '덧없음'과 '공허'를 나타내는 사물이 그려진 우의화, '바니타스'

해골, 마른 꽃, 비눗방울… '덧없음', '허무함'의 상징

지금부터는 서양 미술 회화에서 중요한 주제가 되어온 것들을 살펴볼까 한다. 이제 다양한 '우의화(알레고리)'의 주제를 해설할 것인데, 그 첫 번째가 '바니타스'다.

'바니타스Vanitas'란 '덧없음', '공허'의 의미를 지닌 라틴어다. 17세기 정물화에서는 이를 주제로 한 작품이 다수 그려졌다. 구체적으로는 해골이나 썩은 과일, 마른 꽃, 깨진 유리잔, 모래시계나 회중시계, 비눗방울, 책, 부서진 악기, 조개껍데기 등을 그려 명성이나 권력 등 현세에서 얻을 수 있는 행복은 시간이 흐르면서 잃어버리는 덧없는 존재임을 표현했다.

17세기 네덜란드 화가 페테르 클라스Pieter Claesz는 이름조차 〈바니타스〉라는 작품에서 촛대에 한 마디 남은 초가 서 있는 모습을 그렸다. 양초의 불이 꺼지는 모습 또한 죽음이 찾아오는 모습을 표현하는 허무함의 정형적 표현이다.

바니타스에서는 단순히 '죽음'의 상징을 그릴 뿐만 아니라 동시에 '삶'의 상징도 그려 한층 주제를 강조했다. 17세기 브라반트 공국(오늘날 벨기에)의 화가 얀 브뤼헐(아버지) 그리고 거의 동시대를 살던 이탈리아 화가 카라바조는 매끈한 꽃과 마른 꽃을 병치해 '삶과 죽음'의 대비를 표현하는 작품을 그렸다.

바니타스는 정물화만의 주제는 아니다. 앞서 해설한, 인생의 세 시기를 동시에 그린 '세 시기'(66쪽)라는 주제도 바니타스의 한 종류다.

이 세상의 허무함을 암시하는 것을 그린 '바니타스'

바니타스
'덧없음', '공허'를 뜻하는 라틴어

해골, 썩은 과일, 마른 꽃, 깨진 유리, 모래시계, 회중시계,
비눗방울, 책, 부서진 악기, 조개껍데기

정물화 속에 그려진 바니타스를 찾다

해골

촛대

회중시계

페테르 클라스 〈바니타스〉 1630년, 마우리츠하이스 회화관, 헤이그(네덜란드)

원 포인트

'매끈한 꽃'과
'마른 꽃' = '삶'과 '죽음'

원 포인트

부의 상징
'금화'와
'반지'가 마른
꽃잎과 함께
그려져 있다

얀 브뤼헐(아버지)
〈질그릇에 꽂힌 작은 꽃다발〉
1599-1607년,
미술사 박물관, 빈

금화와
반지와
마른 꽃잎

02 인간의 시각·청각·후각·미각· 촉각은 어떻게 표현했을까?

시각 = 거울, 청각 = 악기, 후각 = 꽃, 미각 = 과일, 촉각 = 새

중세 유럽에서는 인체에 대한 지식이 늘어나면서 인간의 오감에 관한 이해도 깊어졌다. 그와 함께 오감은 회화의 주제로 시각화되었다.

맨 처음, 오감은 전통적으로 오감과 연관된 화초나 동물로 시각화되었다. 특히 1세기 고대 로마의 박물학자 플리니우스Gaius Plinius Secundus의 저서 《박물지》에 기재된 다양한 동물의 특징은 오감의 도상을 형성하는 데 큰 영향을 끼쳤다. 그 내용을 받아들여 중세에는 시각은 고양이, 청각은 사슴, 후각은 개, 미각은 원숭이, 촉각은 거미와 연결해서 각각의 동물을 그려 오감을 표현했다.

이 동물과 오감의 관련성은 16세기 마니에리스모 시대에 거의 고착되었지만 동시에 이때부터 오감은 동물이 아니라 사람의 모습을 본떠 표현하는 경우가 많아졌다(의인상). 다시 말하자면 인간이 악기를 손에 들고 있는 모습이 그려지면 청각을, 과일을 손에 들고 있으면 미각을 표현하는 것이다.

한편, 왜 오감이 회화의 주제로 선정되었을까? 사실 기독교에서는 인간의 오감은 애욕 등 악덕의 입구라고 간주했다. 그 욕망을 경계하려는 목적에서 오감을 선택한 측면도 있다.

그래서 오감의 대다수 주제는 바니타스의 의미도 함께 그려져 있다. 오감으로 얻은 쾌락은 덧없고 공허하다는 의미가 내포된 것이다.

눈에 보이지 않는 '오감'을 그리는 시험

중세 유럽 ➡ 인간의 오감(시각·청각·후각·미각·촉각)을 그림 속에 표현하려 했다

중세의 일반적인 오감과 연관된 생물

시각 ➡

청각 ➡

후각 ➡

미각 ➡

촉각 ➡

16세기 ➡ 오감은 의인화되었다

미각(과일)

촉각 (새)

청각 (악기)

후각 (꽃)

제라드 드 래레스
〈오감의 알레고리〉 1668년,
켈빈그로브 미술관, 글래스고

시각 (거울)

원래 미각과 연관되어 있던 원숭이(미각이 원숭이와 마주 보고 있다)

03 서양에서 '미덕'과 '악덕'을 주제로 한 회화가 많은 이유는?

기독교의 교리를 날카롭게 그린 히에로니무스 보스

서양 미술은 긴 시간 기독교에게 강한 영향을 받았다. 기독교는 '인간은 약하고 우매한 생물'이라는 특정 종류의 성악설에 기초한다. 인간은 본질적으로 쉽게 추락하는 존재라고 생각했던 것이다.

그래서 교회는 인간이 빠지기 쉬운 악덕을 정하고, 사후 지옥의 무서움을 강조하면서 악덕의 유혹에 지지 말라고 설교했다. 한편, 천국으로 가기 위해서는 미덕을 바탕으로 한 올바른 신앙생활을 해야 한다고 했다.

교회는 몇 가지 악덕을 정했는데, 그중에서도 큰 악덕을 '일곱 가지 대죄'라고 불렀다. 구체적으로는 '식탐·나태·색욕·오만·분노·질투·탐욕'이다. 미덕은 신앙의 '대신덕'과 사회생활의 '중요 덕'으로 구분되는데, 전자는 '믿음·소망·사랑', 후자는 '정의·현명·절제·강직'으로 이뤄져 있다.

또한 서양에서 회화는 기독교의 교의를 글을 읽을 수 없는 사람들에게 전파하기 위한 미디어 역할이 컸기 때문에 이 미덕과 악덕을 주제로 한 회화도 다수 그려졌다. 그 대표적 작품 중 하나가 15세기 화가 히에로니무스 보스Hieronymus Bosch의 〈일곱 가지 대죄〉다. 이 작품에서는 각기 다른 악덕의 모습을 상세하게 그렸다.

미덕이나 악덕은 의인상으로 표현되는 경우도 많았는데, 교회는 그 뜻을 알기 쉽게 식별할 수 있도록, 모티브(어트리뷰트)를 함께 그리라고 정했다. 예컨대 '정의'를 표현하는 인물은 천칭을 들고 있다(25쪽).

'천국'과 '지옥'이라는 개념이 생겨난 배경

기독교의 인간관	=	인간은 약하고 우매한 생물

악덕 을 벌하기 위한 지옥   미덕 을 장려하기 위한 천국

⬇

악덕(일곱 가지 대죄)

① 식탐   ② 나태   ③ 색욕   ④ 오만
⑤ 분노   ⑥ 질투   ⑦ 탐욕   (※ 지역이나 시대에 따라 다르다)

① 식탐   ② 나태   최후의 심판

죽음

⑦ 탐욕

③ 색욕

⑥ 질투

④ 오만

지옥

천국

⑤ 분노

히에로니무스 보스
〈일곱 가지 대죄〉
1475-1480년,
프라도 미술관,
마드리드

원 포인트
그리스도상, 그 밑의
격문은 '신은 모든 것을
보고 있다'라는 뜻

히에로니무스
보스

(1450경-1516, 네덜란드 왕국 출생)

04 그리스도 십자가형 그림 속 '해'와 '달'의 의미는?

'그리스도의 부활'을 암시한다

해가 뜨면 달은 저물고, 해가 저물면 다시 달이 떠오르며, 다시 아침이 되면 해가 뜬다. 이런 천체 운동은 고대부터 동서양을 불문하고 윤회전생의 이상과 연관되어, 삶과 죽음의 재생 사이클로 여겨졌다.

서양 회화에서도 그런 의미를 담아 해와 달을 함께 그리는 경우가 있다. 특히 그리스도의 십자가형 그림에 해와 달이 많이 그려진 것도 그 이유로, 그리스도의 사후 부활을 의미한다.

예컨대 11세기 《하인리히2세의 전례용 복음서》의 상아 부조 표지〉나 13세기 프레스코화 〈그리스도의 십자가형〉은 모두 십자가에 못이 박혀 처형된 그리스도를 그렸는데, 두 작품 다 해와 달이 그려져 있다.

여기서 재미있는 점은 두 작품 모두 해와 달에 사람과 비슷한 얼굴이 있다는 것이다. 물론 성서에는 그런 내용은 한마디도 적혀 있지 않다. 해와 달에 얼굴이 그려진 이유는 기독교와는 관계가 없는 그리스·로마 신화의 영향 때문이다. 그 신화들에서 해나 달은 하늘을 달리는 헬리오스와 셀레네Selene라는 남매신, 쌍둥이 태양신 아폴론과 달의 여신 아르테미스(디아나) 등 남녀 신과 깊게 연관되어 있다. 그 영향으로 해와 달에 사람의 얼굴이 그려진 것이다.

아르테미스를 비롯한 여러 달의 여신은 처녀신인 경우가 많아, 처녀인 성모 마리아의 도상에 달이 사용되는 경우도 자주 있다(55쪽).

그리스도의 십자가형 그림에 '해'와 '달'이 그려진 이유

그리스도 십자가형 그림의 '해'와 '달'에는
윤회전생이라는 의미가 있다

그리스도의 사후 부활

《하인리히2세의 전례용 복음서》의
상아 부조 표지〉
1010년 전후,
바이에른 주립 도서관, 뮌헨

태양신
아폴론

달의 여신
아르테미스

달

해

〈그리스도의 십자가형〉 13세기 초반, 어둠의 교회, 카파도키아

05 '마성의 여인'을 긍정적으로 그리게 된 이유는?

낭만주의 문학의 영향이나 여성의 지위 향상

'팜 파탈Femme Fatale'이란 '운명의 여인'이나 '마성의 여인'이라는 뜻으로, 남성을 유혹하고 파멸을 가져오는 여성을 이른다. 이 주제는 서양 미술에서 오랫동안 다양한 지역에서 그려졌다.

금지된 지혜의 열매를 먹어 인간이 낙원에서 추방당한 원인을 만든 이브나 남성의 머리를 요구하는 살로메 또는 유디트Judith 등 성서에 등장하는 여성 또는 재앙을 가져오는 상자를 가지고 지상으로 내려온 판도라나 남성을 동물로 바꾸는 마녀 키르케, 분노에 차 자신의 아들을 죽인 메디아, 아름다운 가성으로 배를 바다에 빠뜨리는 세이렌, 트로이 전쟁의 원인이 된 절세 미녀 헬레네 등 그리스 신화에 등장하는 여성이 팜 파탈의 대표적 존재다. 또한 역사상 인물로는 고대 이집트 여왕이자 미녀로 이름이 알려진 클레오파트라 등도 팜 파탈로 보았다.

이 주제는 고대부터 여성의 매력에 져서 인생을 망치는 남성의 우매함을 경고하는 교훈을 나타내는 우의화(알레고리)로 그려졌다. 즉, 원래부터 그녀들을 부정적으로 그렸다.

하지만 19세기에 들어서자 오스카 와일드Oscar Wilde의 희곡 〈살로메〉 등 낭만주의 문학이 영향력을 행사하고 여성 지위 향상 운동의 기세가 높아지면서, 팜 파탈은 '자립해서 행동력을 보이는 여성'으로서 긍정적으로 그려지는 경우도 나타났다. 살로메를 그린 모로의 〈출현〉이나 이브를 그린 슈투크의 〈죄〉 등이 새로운 팜 파탈상의 대표적 회화다.

요염한 유혹자에서 자립한 여성으로 변모한 '팜 파탈'

금지된 지혜의 열매를 먹은 '이브'
남자의 머리를 요구한 '살로메' '유디트'
남자를 동물로 바꾼 '키르케'
트로이 전쟁의 원인이 된 '헬레네'

남성을 유혹해 파멸시키는 '마성의 여인(팜 파탈)'

유혹하는
헬레네

뺨을 붉게 물들인
파리스

자크 루이 다비드
〈헬레네에게 구애하는 파리스〉
1788년, 루브르 박물관, 파리

오스카 와일드의 희곡 〈살로메〉 등으로 여성의 지위 향상

 원 포인트

살로메의 당당하게
선 자세는 '어머니에게
부추김당한 소녀'라는
이미지를 단숨에
변화시켰다

 원 포인트

베인 세례자
요한의 목이
살로메 앞에
나타난 그림

귀스타브 모로 〈출현〉
1874-1876년,
귀스타브 모로 미술관, 파리

06 페스트를 두려워한 사람들이 함께 그리고자 선택한 동물은?

페스트에 걸린 성인 로크를 핥아서 낫게 한 '개'

14세기 유럽을 휩쓴 페스트는 당시 유럽의 인구 약 3분의 1을 죽음에 이르게 할 정도로 맹위를 떨친 질병이다. 이 병은 고열을 내고 피하출혈을 일으켜 전신이 검보라색의 반점으로 뒤덮여 죽게 한다. 그 증상 때문에 '흑사병'이라 불렸다.

의학이 발달하지 않았던 당시, 원인 불명의 이 병은 한 번 걸리면 도망칠 수 없었다. 그래서 사람들은 페스트를 '신이 신벌을 내리기 위해 무작위로 쏜 화살'이라 생각해, 그 화살에서 몸을 지키기 위해 페스트에 대항하는 수호성인에게 기도를 올렸다.

그런 페스트의 수호성인 중에서도 특히 많은 사람이 믿은 성인은 기독교 박해 시대의 성인 세바스티아누스다. 세바스티아누스는 전신에 화살을 맞고 처형되었지만, 기적적으로 상처가 나았다고 한다. 그래서 사람들은 페스트의 화살에 맞더라도 그처럼 살아남기를 기도했다. 세바스티아누스를 그린 그림으로는 16세기 이탈리아 화가 소도마Il Sodoma의 〈성 세바스티아누스〉 등 유명한 작품이 다수 있다.

또한 14세기에 페스트 환자를 성실히 간호했던 성 로크Roch 또한 사람들은 페스트에 대항하는 성인으로 추앙했다. 로크는 자신도 페스트에 걸렸지만 개가 음식을 날라주거나 핥아서 치유해줬다는 전설이 있어, 회화의 주제로 삼았을 때는 개도 함께 그리는 것이 통례다. 16세기 이탈리아 화가 파르미자니노Parmigianino의 〈성 로크와 기부자〉에도 개가 그려져 있다.

전염병을 두려워한 사람들이 숭배한 두 성인

14세기 유럽을 휩쓴 페스트

페스트를 '신이 무작위로 쏜 화살'이라 생각한 사람들

전신에 화살을 맞고도 부활한 성 세바스티아누스를
수호성인으로 숭배

원 포인트

세바스티아누스는
기둥에 묶인 순교 장면이
자주 그려진다

소도마 〈성 세바스티아누스〉
1525-1526년, 피티 미술관, 피렌체

원 포인트

페스트 환자를 간호한 성 로크
또한 사람들이 독실하게 믿는
수호성인

로크와
세트로
그려지는 개

파르미자니노 〈성 로크와 기부자〉
1527년, 산페트로니오 성당, 볼로냐

07 어울리지 않는 연인의 그림이 많은 이유는?

딸이 결혼하면 부모가 고액의 지참금을 부담하는 규칙이 있었다

나이가 많은 남성과 젊은 딸로 이뤄진 연인을 주제로 한 회화가 서양 미술에는 때때로 등장한다. 16세기 네덜란드 왕국의 화가 쿠엔틴 메치스Quentin Metsys의 〈어울리지 않는 연인〉이나 19세기 러시아 화가 바실리 푸키레프Vasili Vladimirovich Pukirev의 〈불평등한 결혼〉 등이 그 대표작이다.

이 주제는 당시 유럽 사회 상황과 연관되어 있다. 유럽에서는 옛날부터 딸이 결혼할 때 기본적으로 부모가 지참금을 부담한다는 규칙이 있었다. 그 액수는 일반 서민일지라도 1천만 원에서 3천만 원 정도였다. 물론 가난한 집은 그런 지참금을 준비할 수 없었다. 그 경우 딸은 하녀나 수녀, 창부가 된다는 정도의 선택지밖에 없었다.

한편, 당시에는 다양한 직업의 길드가 있어 도시 남성은 그 길드에 소속되었다. 그 남성이 길드에서 장인 자격을 받아 가족을 부양할 만큼의 경제력을 갖추기까지는 긴 수업 기간이 있었다. 그래서 필연적으로 남성의 결혼 연령은 높아졌다. 또한 여성의 출산 시 감염에 따른 사망률도 높아, 아내를 잃은 남성은 곧바로 새로운 젊은 아내를 맞이했다. 이런 사정으로, 나이 차가 많이 나는 어울리지 않는 연인은 옛날 유럽에서는 당연한 모습이었다.

재밌게도 메치스의 작품에서는 여성이 노인의 지갑을 손에 들고, 뒤에 있는 젊은 불륜남에게 몰래 건네주는 모습이 그려져 있다. 당시에는 이런 일도 잦았다.

유럽에서 젊은 남성이 좀처럼 결혼할 수 없던 이유

중세-근대 유럽에 존재한 길드(동업자 조합)

어부

도장

목수

대장장이

모직공

염색

남성은 길드에서 오랫동안 수업을 받고,
경제력을 갖춰야 결혼할 수 있었다

결혼 따위 당분간 무리야

좋겠다!

 원 포인트

여성이 손에 든 것은 노인의 지갑. 뒤에 있는 불륜남에게 그 지갑을 건네고 있다

쿠엔틴 메치스
〈어울리지 않는 연인〉
1520-1525년 내셔널 갤러리, 워싱턴

바실리 푸키레프
〈불평등한 결혼〉
1873년, 트레티야코프 미술관, 모스크바

01 성별 없는 신이 남성의 모습으로 그려진 이유는?

**신이 아담을 '자신의 모습과 닮은 모습으로 만들었다'라는
기술 때문이다**

서양 미술은 기독교와 밀접한 관계를 맺으며 발전했다. 그래서 성서
속 이야기를 주제로 한 회화가 다수 그려졌다.

기독교 성전인 구약성서의 서두에는 세계 창조에 대해 기술되어
있다. 천지창조라 불리는 그 이야기에 따르면, 신은 세상의 모든 것을
6일 동안 창조했다. 신은 1일째에 빛과 어둠을 만들고 2일째에는 하늘
과 땅과 바다를, 3일째에는 식물을, 4일째에는 해와 달과 별을, 5일째에
는 수중 생물과 새를 만들었다. 그리고 6일째에는 흙으로 최초의 인간
남성인 아담을 빚었다. 아담은 헤브라이어로 '흙, 사람'이라는 뜻이다.

이렇게 세상을 완성한 신은 7일째에 휴식하며 안식일이라 칭했다.
오늘날 일요일에 쉬게 된 이유는 여기서 온 관습이다.

천지창조를 주제로 한 회화로는 13세기 이탈리아 화가 토리티Jacopo
Torriti가 그린 〈천지창조〉가 아시시의 성 프란체스코 대성당에 남아
있다. 이 그림에는 신이 6일 동안 세상을 창조한 모습이 그려져 있다. 또
한 성서에는 신의 성별이 기재되어 있지 않지만, 전통적으로 남성의 모
습이라 여겼기에 회화에서도 남성으로 그려져 있다. 이는 신이 아담을
'자신의 모습과 닮은 모습으로 만들었다'라는 기술이 있기 때문이다.

15세기 화가 히에로니무스 보스도 〈세계 창조〉라는 작품을 그렸다.
이 작품에서는 완전히 평평한 세계와 돔 모양의 하늘이 함께 그려져
있다.

세상을 불과 6일 만에 만든 신

빛과 어둠

식물

해와 달과 별

수중 생물과 새

흙으로 빚은 아담(인간)

2일째 하늘과 땅과 바다

원 포인트

성서에 신의 성별에 대한 기술은 없다. 신이 아담을 '자신의 모습과 닮은 모습으로 만들었다'라고 했기에 남성의 모습을 하고 있다

야코포 토리티
〈천지창조〉
1290년경, 성 프란체스코 대성당, 아시시

원 포인트

바다에는 끝이 있다고 여겼기에 탐험자의 배는 난파되어 있다

히에로니무스 보스 〈세계 창조〉
1510-1515년, 프라도 미술관, 마드리드

02 날개 없는 천사에게 왜 날개를 달아줬을까?

성서에 천사에게 날개가 있다는 문장은 한 줄도 없다

천사 또한 서양 미술에서 선호하는 주제다. 회화 속 천사는 사랑스러운 어린아이의 모습부터 늠름한 청년, 또는 소녀의 모습까지 다양하게 그려졌다. 천사는 신의 의지를 인간에게 전달하는 영적 존재로, 본래는 육체도 성별도 없다.

천사라고 하면 날개가 달린 모습을 떠올리는 사람도 많을 테지만, 사실 성서에는 천사에게 날개가 있다는 문장은 단 한 줄도 없다. 그래서 고대 로마 벽화 등에 그려진 천사는 날개가 없는 인간 같은 모습을 하고 있다. 하지만 점차 그리스·로마 신화에서 날개가 있는 신들의 이미지가 혼재하게 되자, 천사도 날개가 달린 모습으로 그려지게 되었다. 특히 어린아이에게 날개가 돋아난 모습으로 표현되는 천사는 그리스·로마 신화 속 사랑의 신 큐피드(그리스 신화에서는 에로스)의 영향을 받은 것이다.

한편 화가들은 천사와 대립되는 존재인 악마도 많이 그렸다. 하지만 악마란 신이 만든 완벽한 세계에 왜 악이나 재앙이 있는가에 대한 문제를 해결하기 위해 오랜 기간에 걸쳐 발달해온 개념이다. 그래서 회화에서는 악마의 모습을 그릴 때는 화가의 자유로운 상상력에 의지했다.

지옥을 그린 회화도 많다. 하지만 성서 속에 지옥의 모습을 세밀하게 설명한 구절이 없기에 이 또한 화가의 자유로운 상상력이 발휘되었다. 오늘날 우리가 상상하는 지옥은 14세기 단테가 쓴 《신곡》 등의 작품을 통해 형성된 모습이다.

원래는 날개가 달려 있지 않았던 천사들

성서에는 천사에게 날개가 있다는 문장이 없다

천사
※ 날개는 없다

하늘과 이어지는 사다리를 천사가 오르락내리락하는 꿈을 꾼 야곱

〈야곱의 사다리〉
4세기, 라티나 거리의 카타콤, 로마

그리스·로마 신화 속 사랑의 신 큐피드와 동일하게 여겨져 날개가 달린 모습이 되었다

루시퍼를 추격해 땅 밑으로 떨어뜨리는 미카엘

신에 대한 반역을 꾀한 타락 천사 루시퍼(루키페르)

루카 조르다노
〈타락 천사를 심연으로 떨어뜨리는 대천사 미카엘〉
1655년경, 미술사 박물관, 빈

03 아담과 이브가 먹은 금단의 열매는 사과가 아니었다?

'금단의 열매 = 사과'는 그리스 신화에서 비롯되었다

신은 최초의 남성인 아담을 만든 후, 아담의 짝으로 삼기 위해 그의 갈비뼈를 빼내 한 여성을 만든다. 최초의 여성인 이브다.

아담과 이브는 낙원인 에덴동산에 살았다. 이때 신은 두 명에게 낙원에 있는 선악과를 먹어서는 안 된다고 주의를 준다. 하지만 교활하고 똑똑한 뱀은 이브를 부추겼고, 이브는 그 열매를 먹어버리고 아담에게도 선악과를 권해 먹게 했다. 이렇게 신과의 약속을 깬 벌로 둘은 낙원에서 추방당했다. 인류는 낙원에 있는 생명의 나무 열매를 먹지 못하게 되면서 죽는 운명이 되었다. 또한 이브에게는 출산 시 고통이 주어졌다.

이 이야기는 '원죄'라고 불리며 '인간은 태어나면서부터 죄를 짓는 존재'라는 기독교 사상의 중심이 되었다. 원죄와 낙원 추방이라는 주제는 회화에서도 다수 그려졌는데, 앞서 해설한 마사초의 〈낙원에서의 추방〉(129쪽)이 그 대표작이다. 또한 15세기 프랑스의 랭부르 형제가 제작한 채식 필사본 《베리 공작의 매우 호화로운 기도서》에도 해당 이야기가 그려져 있다.

한편 회화 속에서 금단의 열매는 전통적으로 사과로 표현되었다. 하지만 성서에는 사과라는 기술은 없다. 금단의 열매가 사과가 된 이유는 그리스 신화에 등장하는 '큰 뱀이 지키는 황금 사과' 이미지가 영향을 끼쳤기 때문이다.

인간이 일으킨 재앙·고통은 신이 내린 벌

아담의 갈비뼈로
이브 탄생

에덴동산에서
사는 두 사람

'선악과'에 대해
주의를 준 신

뱀의 유혹에 넘어가
열매를 먹은 이브

이브의 권유로 함께
먹은 아담

낙원에서
추방

랭부르 형제 〈낙원 추방〉
《베리 공작의 매우 호화로운 기도서》 중에서
1413-1416년경, 콩데 미술관, 샹티이(프랑스)

마사초 〈아담과 이브(낙원에서의 추방)〉 1424-1427년경,
산타마리아 델 카르미네 교회 브란카치 예배당, 피렌체

04 신은 왜 카인의 공물을 받아주지 않았을까?

인류 최초의 살인을 그린 작품 〈카인과 아벨〉

낙원에서 추방당한 아담과 이브는 그 후 두 남자아이를 낳았다. 형은 카인, 동생은 아벨. 이윽고 형제는 성장해, 형은 밭을 경작하고 동생은 양을 쳤다. 어느 날 형제는 각자 키운 농작물과 살찐 새끼 양을 신에게 바쳤다. 하지만 무슨 연유인지 신은 카인의 공물은 물리고 아벨의 양만 받았다. 카인은 이 처사에 분개해 동생을 죽여버렸다.

구약성서에 적힌 카인과 아벨의 이야기는 인류 최초의 살인이라고 불린다. 신이 카인의 공물을 받아주지 않은 이유에 대한 수수께끼나 형제 살인이라는 충격적인 내용 때문에 문학의 소재로도 즐겨 사용되었고, 이를 주제로 한 회화도 다수 그려졌다.

15세기 반 에이크 형제가 그리자유 기법(90쪽)으로 그린 〈카인과 아벨〉이나 16세기 르네상스기 베네치아파 화가 틴토레토의 〈카인과 아벨〉 등이 그 대표작이다. 틴토레토는 카인이 살인을 하는 바로 그 순간을 그렸는데, 근육의 움직임까지 그대로 옮긴 듯 정교한 인체 표현은 미켈란젤로에게 배웠다.

한편, 신이 아벨의 공물만 받은 이유는 구약성서를 쓴 유대인이 유목민이었기 때문이다. 유대인에게는 자신들은 신이 선택한 민족이라는 '선민사상'이 있었다. 카인은 유대인에게 위협적이었던 농경민, 즉 메소포타미아인이나 이집트인을 나타낸다.

인류 최초의 살인은 이렇게 일어났다

두 남자아이를 낳은
아담과 이브

밭을 간 형과
양을 친 동생

농작물을 신에게
헌상한 형

살찐 새끼 양을
바친 동생

농작물을 거절하고
양만 받은 신

동생을
죽인 형

반 에이크 형제
〈카인과 아벨의 봉헌〉
〈겐트 제단화〉 중
1432년, 성 바보 대성당,
벨기에

야코포 틴토레토 〈카인과 아벨〉
1551-1552년경, 아카데미아 미술관, 베네치

 원 포인트
언뜻 보면 돌 조각처럼 보이지만, 담채(그리자유)로 그렸다

05 〈롯과 그의 딸들〉에서 근친상간이 그려진 이유는?

특정 민족을 적대시하거나 멸시하는 유대인의 시선이 담겨 있다

구약성서에는 노아의 방주와 같이 신이 인류를 멸하고 다시 시작하려는 에피소드가 있다. 롯과 딸들의 이야기도 그중 하나다.

소돔과 고모라라는 두 마을에서는 악덕한 일들이 자행되고 있었다. 신은 이 마을을 멸하려고 결심했지만, 소돔에 살고 있던 롯이라는 남자만은 신심이 두터웠기에 그 가족과 함께 그를 살려주려 한다. 천사가 파멸이 가까워지고 있다고 알려주자, 롯은 아내와 두 딸을 데리고 마을을 탈출한다. 그때, 천사는 롯에게 '결코 뒤를 돌아봐서는 안 된다'라고 경고한다. 하지만 그의 아내는 뒤를 돌아봤고, 소금 기둥이 되어버렸다.

무사히 살아남은 롯과 그의 딸들은 그 후 근친상간으로 아이들을 낳고, 언니는 모아브인, 동생은 암몬인의 선조가 되었다. 모아브인이나 암몬인은 역사적으로 유대인과 대립하는 일이 잦았던 민족이다. 그들의 선조가 근친상간으로 태어났다는 내용에는 그들을 향한 유대인의 적대시하거나 멸시하는 시선이 담겨 있다. 게다가 근친상간으로 신화가 시작되는 다신교와 유일신이 모든 것을 창조한 일신교의 차이도 있다.

롯과 그의 딸들을 주제로 한 회화로는 16세기 네덜란드 화가 뤼카스 판레이던Lucas van Leyden의 〈롯과 그의 딸들〉, 동시대 독일 화가 알브레히트 알트도르퍼Albrecht Altdorfer의 〈롯과 딸들〉 등이 있다. 두 그림 모두 아버지와 딸의 근친상간 장면이 클로즈업되어 있다.

롯이 근친상간을 한 이유는?

악덕이 자행되는 마을을 보고 분노한 신	마을을 멸망시킨 신	마을을 탈출한 롯 부부와 두 딸

너무 심하군

천사의 경고	뒤를 돌아봐 '소금 기둥'이 된 아내	딸과의 근친상간을 통해 아이를 만든 롯

뒤를 돌아봐서는 안 된다!

롯과 두 딸과 두 아이

암몬인의 선조   모아브인의 선조

유대인과 대립한 민족

원 포인트

성서에서는 롯이 딸들이 잠든 사이 일을 벌였다고 하지만 이 그림에서 딸은…

알브레히트 알트도르퍼 〈롯과 딸들〉 1537년, 미술사 박물관, 빈

〈원경〉 마을이 붕괴한 모습

〈중경〉 피난을 떠난 롯과 딸들, 소금 기둥이 된 아내

〈근경〉 근친상간하려는 모습

뤼카스 판레이던 〈롯과 그의 딸들〉 1520년경, 루브르 박물관, 파리

원 포인트

원경, 중경, 근경을 통해 다른 시간을 같은 화면에 그렸다(이시동도법)

06 자기 아이를 산 제물로 바친 아버지의 고뇌를 그린 〈이삭의 희생〉

카라바조가 자신의 특기를 사용해 극적으로 그려냈다

구약성서에 따르면 유대인의 선조는 아브라함이라는 인물이다. 유목민이던 그는 머나먼 가나안의 땅을 주겠다는 신의 계시를 받고 여행을 떠났다. 이후 아브라함의 자손이 가나안의 땅에 나라를 세운다.

아브라함은 노령이 될 때까지 자식이 없었다. 하지만 100세가 되었을 때, 90세의 아내 사라와의 사이에서 아이가 태어났다. 그는 아들 이삭을 눈에 넣어도 아프지 않을 정도로 귀애했지만, 어느 날 신은 이삭을 산 제물로 바치라고 명한다.

아브라함은 고뇌했지만 신을 진실하게 믿었기에 사랑하는 아들을 산 제물로 바치겠다고 결심한다. 마침내 자기 아들을 직접 죽이려 했을 때, 신은 아브라함의 신앙심을 인정해 천사를 내려보내고 산 제물을 바치지 않도록 중지시킨다. 신이 아브라함을 시험했던 것이다. 구약성서에는 이렇게 신이 인간에게 불합리한 일을 시키면서 신앙심을 시험하는 이야기가 몇 가지 나온다. 욥기 또한 그 전형 중 하나로, '신을 두려워하라'라는 메시지를 담고 있다.

16-17세기 활약한 이탈리아의 화가 카라바조는 이 주제로 〈이삭의 희생〉이라는 작품을 그렸다. 당장 자신의 아이를 죽이려는 아브라함과 공포로 얼굴을 일그러뜨린 이삭, 그를 멈추는 천사가 큰 몸짓과 강한 명암의 대비를 통해 극적으로 그려져 있다. 카라바조의 특기인 명암을 강조하는 기법은 '명암법Chiaroscuro(키아로스쿠로)'라고 불리며, 후진 화가들에게 큰 영향을 끼쳤다.

신이 아브라함에 '아들을 죽이라'고 명한 이유는?

신에게 가나안의 땅을 받은 아브라함

고난 끝에 가나안에 도착한 아브라함

신을 모시는 계약 체결

아내와의 사이에서 얻은 자식, 이삭

이삭을 산 제물로 바치라고 요구한 신

이삭을 죽이려던 때 멈춰 세운 천사

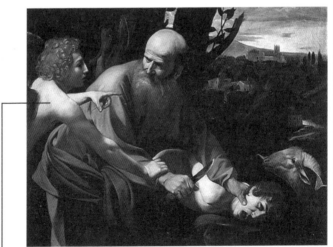

아브라함을 멈춰 세우는 천사
※ 결국 이삭을 죽이지 않고 끝났다

미켈란젤로 메리시 다 카라바조 〈이삭의 희생〉
1601년, 우피치 미술관, 피렌체

07 피렌체 시청사에 다비드상이 세워진 이유는?

지혜와 용기로 거인을 쓰러뜨린 다윗을 자국의 상징으로 삼았다

구약성서에는 아브라함의 자손들이 신과의 계약대로 가나안의 땅에 이스라엘이라는 나라를 세운 이야기가 실려 있다. 하지만 이스라엘의 주위에는 적이 가득했는데, 특히 고대 팔레스타인인과의 다툼이 끊이지 않았다.

팔레스타인 군대에는 키가 3미터 가까이 되는 골리앗이라는 거인 전사가 있었는데, 이스라엘의 군대는 그를 감당할 수 없었다.

하지만 이스라엘의 다윗(다비드라고도 하는데, 미술 분야에서는 주로 '다비드'로 읽는다)이라는 소년이 전장의 형들에게 음식을 가져다주러 갔다가 과감하게도 골리앗에게 맞섰다. 다윗은 끈과 돌만으로 거인과 대치해, 먼저 끈에 돌을 걸어 적의 이마를 향해 던졌다. 돌은 보기 좋게 골리앗의 이마에 명중하고 골리앗은 앞으로 쓰러졌다. 그 틈에 다윗은 골리앗의 허리에서 검을 꺼내 목을 베어 떨어뜨렸다.

골리앗의 패배에 동요한 팔레스타인인들은 전의를 상실했고, 이스라엘은 기세가 살아 승리를 쟁취했다. 이렇게 다윗은 영웅이 되어 이스라엘의 제2대 왕이 되었다.

자연히 이 영웅담은 기독교도 사이에서 특히 인기가 좋다. 그래서 다윗을 주제로 수많은 미술 작품이 제작되었다.

16세기 이후, 피렌체 시청사에는 미켈란젤로가 제작한 〈다비드상〉이 설치되었다. 신흥 국가 피렌체는 주변 강대국들에게 지지 않으려 지혜와 용기로 거인을 쓰러뜨린 다윗을 자국의 상징으로 삼았다.

서양에서는 모르는 사람이 없는 유명한 영웅담

거인 골리앗을 거느린
팔레스타인군

감당할 수 없던
이스라엘군

나에게 필적할
자는 없다

형들에게 음식을
가져다주러 온 소년 다윗

골리앗은 내가 쓰러뜨릴게

끈과 돌만 가지고
골리앗에게 향한 다윗

골리앗의 이마를 향해
끈에 돌을 매달아 던진 다윗

쓰러진 골리앗의
머리를 벤 다윗

골리앗의 머리

미켈란젤로
부오나로티
〈다비드〉
1501-1504년,
아카데미아 미술관,
피렌체

끈

목을 벤 검

원 포인트

피렌체 시청사에 설치된
미켈란젤로의 작품. 주변 강대국들을
밀어내고 살아남으려는 소국의
의지를 나타낸다

구이도 레니
〈골리앗의 머리를 들고 있는 다윗〉
1604-1606년, 루브르 박물관, 파리

08 마성의 여인 살로메가 쟁반에 올라간 머리와 함께 그려지는 이유

어머니의 부추김에 춤을 춘 대가로 성자의 머리를 간청하다

살로메는 신약성서에 등장하는 여인이다. 춤을 춘 대가로 세례자 요한의 머리를 간청한 잔혹한 일화는 많은 회화로 그려졌고, 그녀는 팜 파탈(174쪽)을 대표하는 여인 중 한 명이 되었다. 성서에 실린 살로메의 이야기는 다음과 같다.

성모 마리아의 사촌, 엘리자베스는 고령에 한 남자아이를 낳았다. 이 아이가 훗날 예수에게 세례를 받는 요한이다. 요한은 예수에게 세례를 받은 후, 당시 유대왕 헤롯이 그의 형수 헤로디아와 결혼하려는 일을 비난해 체포당한다. 하지만 요한은 민중에게 인기가 높았기에 헤롯왕은 쉽사리 죽이지 못한다.

그러던 어느 날 연회가 열리고, 헤로디아가 전남편과의 사이에서 낳은 딸 살로메는 훌륭한 춤을 선보인다. 이에 감동한 헤롯왕은 무엇이든 원하는 것을 말해보라고 한다. 살로메는 어머니가 부추기는 대로 쟁반에 올라간 요한의 머리를 원한다고 간청한다. 요한은 머리가 잘려 처형된다.

이 일화로 살로메는 쟁반에 올라간 요한의 머리와 함께 그려지는 경우가 많아졌다. 15세기 이탈리아 화가 필리포 리피의 〈헤롯왕에게 세례자 요한의 목을 바치는 집행인〉에서도 살로메는 요한의 목과 함께 그려져 있다. 한편 19세기 오스카 와일드가 쓴 희곡 〈살로메〉에서는 살로메가 요한을 사랑했다고 참신하게 해석했다.

살로메는 왜 성 요한의 머리를 원했을까?

성지 요한에게
비난당한 헤롯왕

형제의 아내를
취하는 건
무슨 경우인가?

민중에게 인기가 있어
요한을 죽이지 못한 헤롯왕

요한님 요한님 요한님
요한님 요한님
요한님 요한님

헤롯왕의 앞에서
춤을 춘 살로메

살로메에게 원하는
대가를 묻는 헤롯왕

상을 주마.
무엇이 좋으냐?

요한의 머리를
간청하는 살로메

요한의
머리입니다.

머리를 베이고
처형된 요한

**필리포 리피
〈헤롯의 향연〉**
1452-1464년,
프라토 대성당
내부, 프라토

우아하게 춤을 추는 살로메

원 포인트

요한의 머리를 어머니
헤로디아에게 바치는 살로메.
다른 시간을 같은 화면에 그리는
기법으로 그려졌다

**베르나르디노 루이니
〈헤로디아와 세례자 요한의 머리〉**
1527-1531년, 우피치 미술관, 피렌체

09 시대와 함께 화법이 크게 바뀐 '수태고지'

언뜻 봐서는 '수태고지' 같지 않은 그림

성서 장면을 그린 회화 중 가장 인기가 높은 그림은 '수태고지'일 듯하다. 수태고지란 성모 마리아가 처녀의 몸으로 예수를 잉태했다는 사실을 천사가 알려주는 장면이다.

어느 날, 책을 읽고 있던 마리아에게 천사가 찾아와 잉태를 축복했다. 그리고 태어난 아이에게 예수라는 이름을 붙이라고 알려준다. 처녀 마리아는 놀랐지만, 곧 신의 뜻을 받아들인다. 이는 예수 생애 최초의 장면이기 때문에 기독교도에게는 매우 중요하다. 그런 만큼 다양한 화가들이 즐겨 사용한 주제다. 그리고 그 작풍은 각 시대의 영향을 받아 크게 변화해왔다.

14세기 프로토 르네상스기 화가 마르티니의 〈수태고지〉는 금박을 많이 사용해 매우 눈부신 것이 특징이다. 당시에는 이렇게 비현실적으로 그리는 화법이 주제에 어울린다고 생각했다. 하지만 15세기 르네상스 시기에는 캉팽의 작품처럼 평범한 실내를 배경으로 그리게 되었다. 그렇게 하는 것이 보는 사람들의 감정 이입을 유도하기 쉽다고 생각했기 때문이다.

16세기 마니에리스모 시기에는 엘 그레코의 작품처럼 더욱 드라마틱하게 장면을 표현하도록 변화했다. 19세기에는 라파엘 전파를 대표하는 로세티처럼 슬픔으로 가득 찬 수태고지도 나타났다. 로세티의 작품에서는, 천사에게 날개가 없고 마리아도 어린 소녀 같아서 언뜻 보아서는 수태고지의 장면이라 알아채기 어려울 정도다.

성모 마리아가 처녀의 몸으로 예수를 잉태한 이야기

마리아의 처소로 찾아온 천사

태어난 아이에게 예수라는 이름을 붙이라고 알려준 천사

천사의 말에 놀라는 마리아

신의 의지를 받아들인 마리아

레오나르도 다 빈치
〈수태고지〉
1472-1475년경,
우피치 미술관,
피렌체

순결을 나타내는 하얀 백합

천사지만 날개가 없다

로베르 캉팽
〈수태고지〉
1420-1425년경,
메트로폴리탄 미술관, 뉴욕

엘 그레코
〈수태고지〉
1599-1603년경,
오하라 미술관, 오카야마

단테 가브리엘 로세티
〈수태고지〉
1849-1850년,
테이트 갤러리, 런던

10 〈동방박사의 경배〉에서 현자의 인종이나 세대가 다른 이유

모든 인종, 모든 세대의 사람들이 예수를 경배한다는 것을 의미한다

예수는 베들레헴이라는 마을의 마구간에서 태어났다. 그때, 세 현자가 신의 아들 예수의 탄생을 알리는 별이 밤하늘에 나타난 것을 발견하고, 탄생을 축복하기 위해 베들레헴으로 향했다. 세 현자는 동방박사라고도 불린다.

베들레헴으로 향하는 도중, 세 박사는 유대의 왕 헤롯을 찾아가 "유대의 왕으로 태어나신 분(예수)은 어디에 계십니까?"라고 질문했다. 헤롯왕은 자신의 왕좌를 뺏을 예수의 탄생에 놀라면서도 "모르지만, 찾는다면 나에게 알리라"고 명했다.

그 후, 세 박사는 무사히 예수가 있는 곳으로 도착해 각자 선물을 전달했다. 바로 예수의 왕권을 나타내는 '황금', 예수의 신성을 나타내는 '유향', 사체를 보존하기 위한 약이자 예수의 죽음을 암시하는 '몰약'이었다.

이 장면 또한 많은 회화의 주제가 되었다. 그림 속 세 박사는 각각 유럽, 아시아, 아프리카인으로 그려지거나 노년, 장년, 소년 3세대로 그려지는 것이 일반적이다. 이는 모든 인종, 모든 세대의 사람들이 예수를 경배한다는 것, 즉 기독교를 믿는다는 것을 나타낸다.

16세기 독일 화가 뒤러의 〈동방박사의 경배〉에서는 유럽에서 바라본 인종별 이미지를 반영하여 현자들을 아시아인은 노년으로, 유럽인은 장년으로, 아프리카인은 소년으로 표현했다.

'동방박사'는 왜 인종도 세대도 다르게 그려졌을까?

신의 아들의 탄생을 알리는 별을 발견한 세 박사

베들레헴으로 향하는 세 박사

유대의 왕 헤롯을 찾아간 세 박사
유대의 왕으로 태어나신 분은?

예수의 탄생에 놀란 헤롯왕
모르지만 찾는다면 알려주시오

예수가 있는 곳으로 도착한 세 박사

예수에게 선물을 주는 세 박사
황금 유향 몰약

체력이 있는 장년 = 유럽인

미숙한 소년 = 아프리카 흑인

지혜는 있으나 쇠퇴한 노년 = 아시아인

알브레히트 뒤러
〈동방박사의 경배〉
1516년, 우피치 미술관, 피렌체

원 포인트

세 대륙, 세 세대를 그려 기독교가 전 세계로 전파된다는 것을 암시

예수와 열두 제자를 가로 한 줄로 나열한 참신한 구도

예수는 수많은 기적을 일으켰고 예수의 가르침은 많은 사람에게
퍼져나갔다. 예수와 함께한 열두 제자도 생겨났다. 하지만 사람들이
구세주로 여긴 예수의 존재는 당시 유대교 사제들에게는 위험인물에
불과했다. 그래서 사제들은 예수를 죽이려 제자 중 하나인 유다를 은
화 30냥에 매수해 예수를 배반하게 했다.

그런 사실을 알지 못한 다른 제자들은 유대 민족 전통의 '유월절'
만찬을 준비하고 있었다. 모두가 자리에 앉은 순간, 예수는 "이 중에
나를 배신하려는 자가 있다"라고 말했다. 그 충격적인 말을 들은 제자
들 사이에는 동요가 일어났다.

신약성서에 실린 이 극적인 '최후의 만찬'은 그 후 미사(성찬식)의
기원이 되어, 많은 회화의 주제가 되었다. 그중에서도 레오나르도 다
빈치의 작품이 특히 유명하다.

그때까지 최후의 만찬을 그린 대다수 회화는 배신자인 유다 한 명
만 테이블 앞에 그리는 구도가 일반적이었다. 하지만 레오나르도는 예
수와 열두 명의 제자를 가로 한 줄에 나열하는 참신한 구도로 그렸다.
또한 유다가 그 손에 은화가 담긴 봉투를 쥐고 있는 모습을 그려 배
신자인 사실을 암시했다. 유다 옆에는 배신자를 처단하려는 베드로
가 나이프를 쥐고 있는 등 열두 제자를 생생하게 그렸다. 한편 레오나
르도의 〈최후의 만찬〉은 그의 작품 중에서 얼마 되지 않는 완성작 중
하나다.

예수를 제자 유다가 배신한 충격적인 장면

많은 사람에게 전파된
예수의 가르침

유대교 사제에게
예수는 위험인물

유대교 사제에게 은화
30냥에 매수된 유다

'유월절' 만찬을
준비하는 열두 제자

"이 중 배신자가 있다"
라고 알리는 예수

제자들의
동요

배신자가
있다!

원 포인트

배신자 유다 한 명만 테이블
앞에 그리는 것이 일반적이었던
〈최후의 만찬〉을, 가로 한 줄로
그린 참신한 구도

돈을 쥔 유다.
옆에는 베드로가
나이프를 들고 있다

레오나르도 다 빈치
〈최후의 만찬〉
1498년,
산타마리아 델레
그라치에 성당,
밀라노

12 〈최후의 심판〉에서 예수의 좌우에 양과 산양을 그린 이유는?

양은 선인, 산양은 악인을 비유한 것이다

기독교에서는 곧 '최후의 심판'이라 불리는 세계의 종말이 찾아올 것이고, 그때에는 죽은 사람도 포함해 모든 사람이 천국에 갈 자와 지옥에 갈 자로 나뉠 것이라고 말한다. 신약성서에서 예수는 "놀라지 마라. 무덤 속에 있는 자는 모두 아이의 목소리를 들을 것이고, 선을 행한 자는 부활해 명을 받기 위해, 악을 행한 자는 부활해 재판받기 위해 나올 것이다"라고 말한다. 그리고 양치기가 양과 산양을 나누듯, 천국과 지옥으로 인간을 나눌 것이라고 한다. 여기서 말하는 양은 선인, 산양은 악인이다.

초기 '최후의 심판'을 주제로 한 회화는 예수의 예언을 바탕으로 예수를 중앙에 그리고, 그 좌우에 양과 산양을 그린 게 대부분이었다. 이탈리아 라벤나 산타폴리나레 누오보 성당에 있는 6세기 초반 제작된 모자이크화도 그중 하나다.

하지만 시대가 바뀌며 천국과 지옥으로 나뉘는 인간들도 그림에 그려지게 되었다. 동서양을 불문하고 오른쪽은 선, 왼쪽은 악으로 여겨지기 때문에 천국과 지옥도 오른쪽과 왼쪽에 위치하고 있다.

16세기 미켈란젤로가 시스티나 예배당의 벽 한 면에 그린 〈최후의 심판〉에서는 중앙에 그려진 예수 주변으로 상부에는 천국이, 하부에는 지옥이 배치되어 있다. 그 주위에는 심판을 기다리는 사람들이 390명 이상 그려져 있어 장대한 분위기를 연출한다. 하지만 이 걸작은 완성 직후 비판을 받아 오랫동안 나체 일부가 덧칠로 가려져 있었다.

천국에 갈 사람과 지옥에 갈 사람을 나누는 '세계 종말의 날'

'최후의 심판'에 대해 예수는…

선을 행한 자는 부활해 명을 받기 위해, 악을 행한 자는 부활하여 재판받기 위해 나올 것이다

선인 / 천국

악인 / 지옥

예수
양 (선인의 비유)
산양(악인의 비유)

⟨최후의 심판(양과 산양을 구분하는 그리스도)⟩
6세기 초반,
산타폴리나레 누오보 성당,
라벤나

미켈란젤로 부오나로티
⟨최후의 심판⟩
1536-1541년,
시스티나 예배당,
바티칸

천국
지옥

13 신과 예수 사이에
흰 비둘기가 있는 이유는?

신과 예수와 성령의 복잡한 관계

삼위일체란 기독교 교의에서 아버지 신과 신의 아들 예수, 그리고 성령을 동일한 존재로 여기는 개념이다. 성령이란 성서에서 '신의 활동을 돕는 힘'을 의미하며, 나아가 신의 가르침이나 메시지도 포함한다.

예수는 성서 속에서는 종종 '신의 아들'로 불린다. 그런데 신과 신의 아들은 다른지, 또한 신의 아들이지만 예수 본인은 인간인지 신인지에 대해서는 기독교 내에서도 몇 세기 동안 논의가 계속되었다. 기독교는 일신교이기 때문에 신이 여럿일 수는 없지만 예수를 그저 인간이라 여기기도 어렵기 때문이다.

4세기에 드디어 정해진 결론이 '삼위일체'라는 개념이다. 신과 예수와 성령은 본질적으로는 동일하지만, 세 개의 위격(페르소나)을 지니고 있다는 것이다. 아버지와 아들이 동일하다니! 외부에서는 이해하기 어려운 부분도 있지만 오늘날까지 가톨릭, 프로테스탄트, 그리스정교 등 주요 기독교 종파는 이 개념을 정통으로 인정하고 있다. 한편, 나중에 생긴 개념이기 때문에 성서에는 삼위일체라는 말이 없다.

이 삼위일체라는 주제로 회화를 그릴 때는 아버지 신과 십자가에 매달린 예수 사이에 흰 비둘기의 형상을 빌린 성령을 그린 구도가 일반적이다. 성령이 비둘기로 표현된 이유는 신약성서에 '영이 비둘기처럼 하늘에서 내려와'라는 말이 있기 때문이다.

'예수는 신인가? 인간인가?'
논쟁에 종지부를 찍은 '삼위일체'설

예수는 인간이 아니라 신이다!

예수는 신과 같다!

아니 신의 아들이지 신은 아니다!

아니, 인간이다!

삼위일체(동일시)

신 (아버지) — 예수 (신의 아들)

성령

신
성령(흰 비둘기)
예수

마사초 〈성 삼위일체〉
1425-1428년경, 산타마리아
노벨라 성당, 피렌체

01 신화가 낳은 장엄한 대작, 〈사투르누스〉

신들의 왕은 왜 자신의 아들을 먹었을까?

기독교와 함께 유럽 정신 문화의 바탕을 이루고 있는 것이 그리스·로마 신화다. 그래서 이 신화를 주제로 한 수많은 회화가 존재한다.

17세기 플랑드르 화가 루벤스는 〈아들을 삼키고 있는 사투르누스〉라는 작품을, 19세기 스페인 화가 고야는 〈사투르누스〉라는 작품을 그렸다. 두 작품 모두 전라의 거인이 아이를 먹는 무서운 그림이다.

사투르누스Saturn는 로마 신화의 신으로, 그리스 신화의 크로노스Cronus와 동일시되는 존재이자 천공의 신 우라노스와 대지의 어머니신 가이아 사이에서 태어난 막내다. 우라노스는 자신의 아이들을 추하다며 싫어해, 차례차례 명계로 떨어뜨려 가뒀다. 남편의 행동에 분노한 가이아는 아직 명계에 떨어지지 않은 크로노스에게 명해 우라노스를 낫으로 거세시킨다.

그 후 크로노스는 여동생 레아Rhea와 결혼했는데, '언젠가 자신의 아이에게 살해당할 것이다'라는 신탁을 받고 아이들이 태어나는 족족 삼켰다. 루벤스와 고야는 신화의 바로 이 장면을 그렸다. 루벤스의 그림에서는 사투르누스(크로노스)가 아버지를 거세했을 때 사용한 낫도 함께 그려졌다. 또한 두 작품 모두 연쇄적인 자식 살해라는 어두운 주제이기 때문에 음침하고 피비린내 나는 작풍을 보여주고 있다. 한편, 크로노스 또한 나중에 자식 제우스에게 당해, 명계에 유폐된다. '자식 살해, 친부 살해' 신화의 한 예다.

신들의 왕 크로노스가 자기 아들을 먹는 충격적 장면

우라노스와 가이아 사이에서 태어난 크로노스

아이들을 명계에 가둔 우라노스

분노해 크로노스에게 우라노스의 거세를 명한 가이아

아버지 우라노스를 낫으로 공격한 크로노스

여동생 레아와 결혼하고 신탁을 받은 크로노스

네 아이에게 죽임을 당할 것이야

겁에 질려 자신의 아들을 삼킨 크로노스

사투르누스 (크로노스)를 나타내는 소품인 낫

페테르 파울 루벤스
〈아들을 삼키고 있는 사투르누스〉
1636년경, 프라도 미술관, 마드리드

프란시스코 고야 〈사투르누스〉
1820-1824년, 프라도 미술관, 마드리드

02 저승의 왕 플루토가 봄의 여신을 납치한 〈페르세포네의 납치〉

지상에 '계절'이 생긴 계기

그리스 신화의 여신 페르세포네는 로마 신화에서는 '프로세르피나'로 불린다.

어느 날, 저승의 지배자 플루토(그리스 신화에서는 하데스)는 큐피드(그리스 신화에서는 에로스)가 날린 사랑의 화살에 맞아, 프로세르피나에게 한눈에 반한다. 그리고 그녀를 강제로 납치해 저승으로 데려간다.

프로세르피나의 어머니인 풍요의 여신 케레스(그리스 신화에서는 데메테르)는 딸을 돌려받으러 저승으로 가지만 실패한다. 신들에게는 저승의 음식을 입에 댄 자는 지상으로 돌아갈 수 없다는 규칙이 있는데, 프로세르피나가 저승의 석류를 먹어버린 후였기 때문이다.

그렇지만 프로세르피나가 어머니와 돌아가고 싶어 했기 때문에 플루토는 1년 중 절반만 그녀를 지상으로 돌려보내기로 타협한다. 그래도 케레스는 불만을 품어 딸이 저승에 있는 반년 동안은 일을 포기한다. 지상에 작물들이 결실을 보지 못하게 된 것이다. 지상에 계절이 생긴 이유를 설명하기 위해 사용된 신화다.

이 신화를 주제로, 16세기 이탈리아 화가 니콜로 델 아바테Niccolò dell'Abbate는 〈페르세포네의 납치〉라는 작품을 그렸다. 그는 정밀한 풍경 묘사에 능했기에 플루토가 프로세르피나를 납치하는 극적인 장면을 광대하고 아름다운 풍경 속에 그렸다. 한편, 델 아바테는 퐁텐블로 궁전 장식에 참여하는 등 프랑스에서도 활동했다. 그의 풍경 묘사 기법은 이후 프랑스 회화 중 풍경화의 발전에 크게 공헌했다.

지상에 '계절'이 생긴 계기가 된 장면

아모르(큐피드)의 화살에 맞고 프로세르피나에게 한눈에 반한 플루토

프로세르피나를 납치해 저승으로 데려온 플루토

플루토에게 딸을 돌려 달라 요구한 케레스

저승의 음식을 입에 댄 자는 지상으로 돌아갈 수 없다는 규칙

석류를 먹었으니 안 돼

1년의 절반만 지상으로 돌아갈 수 있도록 약속한 플루토

딸이 저승에 있을 때 일을 하지 않게 된 케레스

 원 포인트

프로세르피나와 숲에서 놀고 있던 님프들은 필사적으로 플루토를 막으려 하고 있다

니콜로 델 아바테 〈페르세포네의 납치〉
1570년경, 루브르 박물관, 파리

03 왜 그리스도처럼 그렸을까?
모로의 〈프로메테우스〉

그리스도와 프로메테우스의 의외의 공통점

프로메테우스는 신화에서 인류를 만든 존재다. 맹수와 추위를 무서워하는 인류를 불쌍히 여긴 그는 천계의 불을 훔쳐 인류에게 주었다.

신의 전유물인 불을 훔친 것에 노한 제우스는 프로메테우스를 잡아 영원히 까마귀에게 간을 쪼이는 벌을 줬다. 게다가 제우스는 인류 또한 응징하려 했다. 최초의 인간 여성인 판도라를 만들어, 프로메테우스의 동생 에피메테우스에게 선사했다. 에피메테우스는 그녀를 아내로 삼았는데, 제우스는 판도라가 결혼할 때 "절대 열어서는 안된다"며 상자를 하나 주었다.

하지만 판도라는 호기심에 져 상자를 열어버렸다. 그러자 그 안에서 모든 재앙이 튀어나와 인류는 전쟁, 병, 죽음으로 고통받게 되었다.

19세기 프랑스 화가 모로는 〈프로메테우스〉라는 그림을 그렸다. 이 작품 속 프로메테우스는 예수 그리스도처럼 그려졌다. 인류를 위해 자신을 희생한 예수 그리스도를 프로메테우스와 겹쳐 보았던 것이다.

이와 비슷하게, 16세기 프랑스 화가 장 쿠쟁(아버지)Jean Cousin은 신화와 성서에서의 최초의 여성이자 원죄의 행위자인 판도라와 이브를 동일시해 〈에바 프리마 판도라Eva Prima pandora〉라는 작품을 그렸다. 르네상스 이후, 다신교 문화인 신화가 일신교 기독교 세계에 반영되면서 생긴 내적 모순을 어떻게든 해소하려는 움직임이 나타난 것이다.

그림에는 판도라를 상징하는 항아리와 이브를 상징하는 사과 가지와 뱀이 그려져 있다.

인류에게 고통이나 재앙을 가져온 계기가 된 장면

천계에서 불을 훔쳐 인류에게 준 프로메테우스

프로메테우스를 잡아 벌을 내린 제우스

인간 여성(판도라)을 만든 제우스

제우스에게 판도라를 받은 에피메테우스

제우스에게 경고받았는데도 상자를 연 판도라

딸깍!

상자를 열면서 튀어나온 모든 종류의 재앙

👆 원 포인트

인류를 위해 희생한 프로메테우스는 인류의 원죄를 대신 지고 처형된 그리스도를 본떠 그렸다

귀스타브 모로
〈프로메테우스〉
1868년, 귀스타브 모로 미술관,
파리

사과 가지   항아리

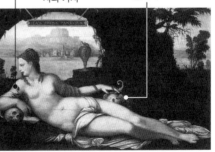

장 쿠쟁(아버지) 〈에바 프리마 판도라〉
1550년경, 루브르 박물관, 파리

04 불행한 사랑 이야기, 〈아폴론과 다프네〉

자랑거리인 활을 조롱당한 큐피드의 복수

아폴론은 제우스의 아들로, 예술과 예언의 신이자 궁술의 고수다. 외모도 훌륭하고 만능 스포츠맨이라 그리스·로마 신화 신들 사이에서도 엘리트 같은 존재다. 그런 아폴론은 어느 날 큐피드(로마 신화에서는 아모르)가 지닌 활을 작다고 놀렸다.

화난 큐피드는 아폴론의 심장에 '사랑에 빠지는 황금 화살'을 쏘았다. 운 나쁘게도, 아폴론이 사랑에 빠진 상대는 남자를 싫어하기로 유명한 강의 신의 딸 다프네였다. 게다가 큐피드는 혹시나 하는 마음에 다프네의 가슴에 '연심을 없애는 납 화살'을 쏘았다.

그 결과, 아폴론이 쫓아가면 쫓아갈수록 다프네는 그를 싫어하고 피했다. 그런데도 아폴론이 점점 따라잡아 궁지에 몰린 다프네는 아버지인 강의 신에게 자신의 모습을 바꿔달라고 부탁했다. 그러자 다프네의 몸은 점점 월계수로 변했다.

다양한 분야의 많은 예술가가 이 불행한 사랑 이야기를 작품의 주제로 택했다. 15세기 이탈리아 화가 폴라이우올로Antonio del Pollaiolo가 그린 〈아폴론과 다프네〉에는 이미 손과 발이 식물이 된 다프네에게 필사적으로 매달리는 아폴론의 모습이 그려져 있다. 17세기 이탈리아 천재 조각가 베르니니 또한 〈아폴론과 다프네〉라는 대리석 조각 작품을 만들었다.

한편, 다프네가 월계수가 된 것을 슬퍼한 아폴론은 이후 월계수를 자신의 상징으로 삼았다.

아폴론의 머리에 월계수가 그려지는 계기가 된 장면

아폴론에게 놀림당한
큐피드

아폴론에게 '사랑에 빠지는
황금 화살'을 쏜 큐피드

남자를 싫어하는 다프네
를 좋아하게 된 아폴론

'연심을 없애는 납 화살'
을 다프네에게 쏜 큐피드

아폴론에게서
도망치는 다프네

강의 신에게 부탁해
월계수로 바뀐 다프네

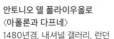

안토니오 델 폴라이우올로
〈아폴론과 다프네〉
1480년경, 내셔널 갤러리, 런던

잔 로렌초 베르니니
〈아폴론과 다프네〉
1624-1625년, 보르게세 미술관, 로마

05 자신이 만든 조각상과 사랑에 빠진 왕을 그린 〈피그말리온과 갈라테이아〉

자신이 만든 조각상에 생명을 불어넣는 데 성공하다

살아 있는 인간이 아니라 인형을 사랑하는 것을 심리학 용어로 '피그말리온 효과'라고 한다. 이 용어는 그리스·로마 신화에서 생겨났다.

먼 옛날, 키프로스섬의 왕 피그말리온은 현실에 존재하는 여성을 혐오해, 쭉 독신으로 지냈다. 하지만 조각에 재능이 있던 피그말리온은 어느 날 상아로 본인의 이상형을 조각했다. 그 조각상은 너무나 훌륭히 완성되어, 피그말리온은 자신의 작품을 사랑하게 되었다.

왕은 매일 조각상에게 말을 걸고, 옷을 입히고, 입을 맞추는가 하면 끌어안기도 하는 등 연심을 더욱 키웠다. 이윽고 피그말리온은 미와 사랑의 여신 비너스(그리스 신화에서는 아프로디테)에게 그녀와 결혼시켜달라고 빌었다. 이 소원을 들은 비너스가 조각상에 숨을 불어넣자, 조각상은 갈라테이아라는 진짜 살아 있는 사람이 되었다. 피그말리온은 기뻐하며 그녀와 결혼해 행복하게 살았다.

어떤 의미에서는 낭만적인 이 신화는 18세기 프랑스에서 사랑받았다. 특히 예술이 자연을 초월하는 것을 이상적이라 생각한 신고전주의의 상징이 되기도 했다. 신고전주의를 대표하는 조각가이자 화가인 장 레옹 제롬Jean-Léon Gérôme은 〈피그말리온과 갈라테이아〉라는 작품을 그렸다. 그는, 발은 아직 차가운 상아 질감이지만 상반신은 따뜻한 피가 흐르는 인간 여성으로 변신하고 있는 갈라테이아를 매우 사실적으로 표현했다.

인형을 사랑하는 것을 '피그말리온 효과'라 부르는 계기가 된 장면

여성을 싫어한 피그말리온 왕	어느 날 여성상을 조각한 왕	너무나 아름다워 사랑에 빠지고 만 왕

비너스에게 그 조각상과 결혼시켜달라고 부탁	조각상에 생명을 불어넣은 비너스	인간이 된 조각상과 행복한 결혼생활

상반신은 살아 있는 인간

원 포인트

얼굴을 숨기는 가면은 '기만'의 상징. 피그말리온의 '가짜 사랑'을 나타낸다

장 레옹 제롬
〈피그말리온과 갈라테이아〉
1890년,
메트로폴리탄 미술관,
뉴욕

다리는 차가운 상아 질감

06 인체 구조를 무시하고 그린 〈비너스의 탄생〉

신들의 나체 그림이 허용되면서 비너스의 인기에 불이 붙다

그리스·로마 신화 중 가장 많은 화가의 주제가 된 신은 미와 사랑의 여신 비너스Venus다. 이 여신의 출신은 명확하지 않지만, 크로노스가 베어 떨어뜨린 우라노스의 성기가 바다에 빠졌을 때, 흘러나온 정액으로 모인 거품에서 태어났다는 설이 있다. 그래서 그리스 신화에서 비너스의 이름은 그리스어로 '방울(아프로스Aphros)'을 어원으로 하는 아프로디테다.

가장 유명한 비너스 작품은 15세기 이탈리아 화가 보티첼리가 그린 〈비너스의 탄생〉이다. 여신은 오른손으로 가슴을 가리고 왼손으로 하복부를 가리는, 고대 그리스에서 '부끄러워하는 포즈(베누스 푸디카)'라 불리는 자세를 취하고 있다. 다만 잘 보면 보티첼리가 그린 비너스의 자세는 비현실적이라는 점을 알 수 있다. 현실의 인체 구조를 무시하고, 화가가 느끼는 이상미를 그렸기 때문이다.

한편 19세기 프랑스 화가 부그로William-Adolphe Bouguereau의 〈비너스의 탄생〉에서는 여신이 한쪽 무릎을 굽히고, 허리를 S 자로 꼬아 중심을 잡는 '콘트라포스토'라는 선 자세를 취하고 있다. 이는 현실에서 가능한 자세로, 실제로 모델을 사용해 그렸다.

그런데 기독교적 도덕이 강했던 시대는 여성의 나체를 그리는 것이 금기시되었다. 하지만 르네상스 이후 신화의 신들이라면 나체를 그리는 것도 허용되었다. 이때 아름답고 관능적인 여신 비너스는 딱 맞는 주제라서 많은 화가가 선호했다.

동서고금 모든 사람들을 매료시킨 명장면

산드로 보티첼리
〈비너스의 탄생〉
1484-1486년,
우피치 미술관,
피렌체

원 포인트

오른손으로 가슴을,
왼손으로 하복부를
가리는 '부끄러워하는
자세'는 고대 그리스에서
전해진 자세

윌리앙 아돌프 부그로
〈비너스의 탄생〉
1879년, 오르세 미술관, 파리

07 가장 아름다운 신이 누구인지를 그린 〈파리스의 심판〉

트로이의 왕자가 낸 결론이 트로이 전쟁의 방아쇠가 되다

그리스·로마 신화의 클라이맥스는 트로이 전쟁이다. 이는 그리스 연합군과 소아시아 도시국가 트로이와의 전쟁으로, 어느 정도는 사실을 바탕으로 하고 있다.

신화에서 전쟁의 계기는 여신들의 다툼이었다. 신들이 참석한 어느 결혼식장에서 다툼의 여신 에리스는 황금 사과를 던진다. 그 사과에는 '세상에서 가장 아름다운 여성에게'라는 말이 새겨져 있었다. 그렇게 사과를 누가 가질지를 둘러싸고 제우스의 아내 헤라, 미와 사랑의 여신 비너스,·지혜와 무의 여신 아테나 세 여신이 다툼을 벌인다. 곤경에 빠진 제우스는 누가 사과의 주인에 어울릴지에 대한 판정을 트로이 왕자 파리스에게 맡긴다.

여신들은 각자 파리스에게 뇌물을 건네지만, 마지막에 선택된 신은 '세계 제일의 인간 미녀 헬레네와 맺어주겠다'라는 조건을 내건 비너스다. 이 이야기가 바로 '파리스의 심판'이다.

파리스는 약속대로 헬레네를 아내로 맞이하지만, 사실 그녀는 스파르타의 왕 메넬라오스의 왕비다. 분노한 메넬라오스는 아내를 돌려받기 위해 트로이에 병사를 보낸다. 이게 바로 트로이 전쟁의 서막이다.

세 여신이 미남 파리스의 앞에서 다툰다는 주제는 많은 화가의 사랑을 받았다. 그중 유명한 작품이 루벤스의 〈파리스의 심판〉이다. 이 작품에서 비너스는 아들 큐피드, 헤라는 공작새, 아테나는 활과 방패라는 각 여신의 어트리뷰트와 함께 그려져 있다.

트로이 전쟁의 방아쇠가 된 '세상에서 가장 아름다운 미녀' 결정 장면

신들이 참석한
어느 결혼식

던져진
황금 사과

세상에서
가장 아름다운
여성에게

사과의 소유권을 두고
다투는 세 여신

사과는 내 거야

나야

나야

파리스 왕자에게
판정을 맡긴 제우스

헬레네와의 결혼을
제시한 비너스

비너스를 선택한
파리스

비너스
여신님이야말로
황금 사과의
주인입니다

아테나와 활·방패

페테르 파울 루벤스
〈파리스의 심판〉
1597-1599년,
내셔널 갤러리, 런던

비너스와 큐피드

헤라와
공작새

황금 사과

〈파리스의 심판〉
1430-1440년경, 바르젤로 국립 박물관, 피렌체

연표 해설

　서양 미술은 기원전 3500년경부터 오리엔트에서 시작된 청동기 문명에 기원을 두고 있다. 그 문명이 그리스·로마 문명으로 계승되었고, 서양 미술의 기초가 되었다.

　1세기에 기독교가 확산되자, 성서 장면을 그린 회화가 서양 미술의 주류가 되었다. 10세기에는 로마네스크 양식이 탄생했고, 12-15세기 동안에는 고딕 양식이 발전했는데 두 양식 모두 교회 건축을 중심으로 한 기독교 미술이다.

　14세기에 들어서자, 고대 그리스·로마 사상이나 예술을 부흥시키자는 르네상스 운동이 이탈리아를 중심으로 활발해졌다. 16세기에는 종교 개혁이 일어났고, 17세기

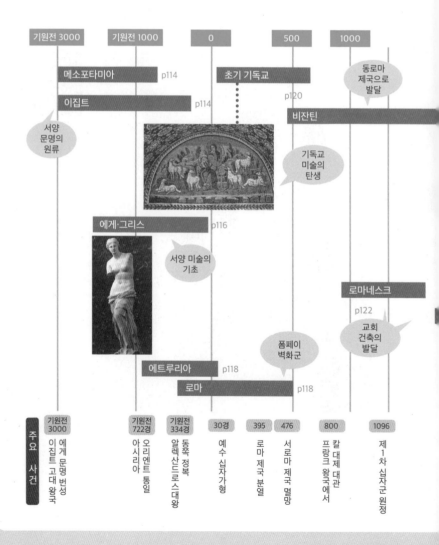

기원전 3000　　기원전 1000　　0　　500　　1000

메소포타미아　p114

이집트　p114

초기 기독교　p120

동로마 제국으로 발달

비잔틴

서양 문명의 원류

기독교 미술의 탄생

에게·그리스　p116

서양 미술의 기초

로마네스크　p122

교회 건축의 발달

폼페이 벽화군

에트루리아　p118

로마　p118

주요 사건

기원전 3000	기원전 722경	기원전 334경	30경	395	476	800	1096
에게 문명 번성 / 이집트 고대 왕국	아시리아 / 오리엔트 통일	알렉산드로스 대왕 / 동쪽 정복	예수 십자가형	로마 제국 분열	서로마 제국 멸망	칼 대제 대관 / 프랑크 왕국에서	제1차 십자군 원정

220

에는 극적인 연출이 특징적인 바로크 양식이 유행했다.

18세기, 중앙집권화가 진행된 프랑스에서는 화려하고 세밀한 궁정 미술 로코코 양식이 인기를 얻었다. 하지만 프랑스 혁명이 일어나자 공화정을 이상적이라 생각하는 신고전주의와 그에 대립하는 낭만주의가 주류가 되었다.

머지않아 19세기 후반에는 인상주의가 등장했다. 후세 미술에 다대한 영향을 끼쳤다. 또한 산업 혁명은 그에 대한 반동으로 세기말 미술을 탄생시켰다.

20세기 이후에는 야수파나 큐비즘, 추상주의, 초현실주의 등 여러 양식이 탄생하며 서양 미술은 다양한 전개를 보였다.

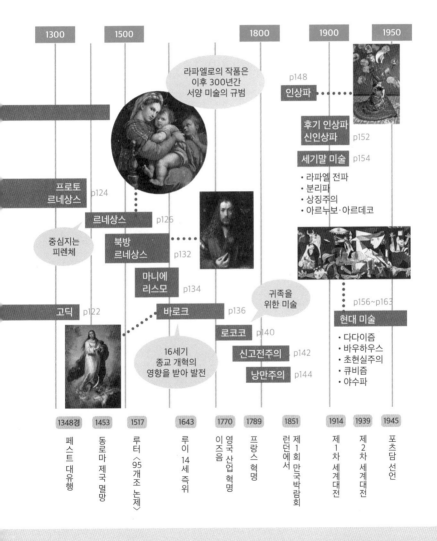

맺는 글

내가 미술사라는 학문을 만난 건 중학교 3학년 때다. 그때까지는 막연하게 책을 쓰는 작가, 그것도 그 당시 좋아하던 시부사와 다쓰히코澁澤龍彦(소설가이자 평론가, 프랑스 문학가로 인간 정신과 문명의 어두운 면을 조명한 수필을 썼다)처럼 전문 분야를 다루는 작가를 꿈꾸고 있었다. 그러려면 정말 좋아했던 역사와 미술 중 하나에 집중해야 할 것 같다고 어렴풋이 생각하기 시작했을 때, 다카시나 슈지高階秀爾라는 사람이 쓴《명화를 보는 눈》을 만나고 미술사라는 학문이 있다는 사실을 알게 되었다.

'이 학문이라면 역사와 미술 모두 할 수 있겠어!'

결국 그대로 지금까지 미술사를 생업으로 삼게 되었다.

내가 재직하고 있는 미대에는 매년 많은 학생이 들어온다. 학생들은 미술이라는 좋아하는 일을 하나 발견했고, 장래에는 그 세계에서 살고 싶다는 소망을 품고 있다. 대학생이 돼서 좋지만, 하고 싶은 게 무엇인지 발견하지 못해 고뇌하기 쉬운 일반 대학생보다 고민이 적어 행복할 것 같다. 하지만 그 대신 미술의 길을 선택하는 게 과연 사회에 도움 될 수 있을지에 대한 고민에 부딪힌다. 오늘날 직면한 병폐들 사이에서 그런 고민을 하는 건 당연하다. 병으로 고통받는 사람들을 치료하거나 음식이나 일용품을 생산해 건네주는 등 물리적으로 명료하게 도움 되는 분야에 비하면 미술은 너무나 취미 같고 즐거움만 쫓는 듯이 보이니까.

하지만 사회에 도움 되는 방법은 다양하다. 그림을 보고 마음이 강하게 움직였다, 소설을 읽고 상상력이 샘솟았다, 영화를 보면서 다른 인생을 살아보았다 등등. 이런 일을 일으키는 예술은 모두 사람들에게 정신적으로 도움을 준다고 할 수 있다.

또한 우리가 가지거나 눈으로 보는 모든 상품은 디자인이 필요하기에 디자인은 생활에 필수라고 할 수 있다.

더 나아가자면, 물리적으로 도움 되지 않는 활동을 하는 생물은 인간뿐이다(물론 개와 같은 동물들도 놀고 있으면 즐거워 보이지만). 다른 동물도 먹고, 자고, 자손을 낳는 등 본능적으로 필요한 행동은 하지만 그를 위해 불필요한 행동은 하지 않는다. 예술이야말로 인간과 다른 동물을 나누는 행위다. 그러니 자신감을 가지고 이 세계에서 살아가라고, 나는 고민하는 미대생에게 말해준다.

미술사가 무엇을 위해 있는지, 어디에 도움이 되는지, 그리고 구체적으로 무엇을 배우는지는 이미 이 책을 통해 독자 여러분이 이해했으리라 생각한다. 한 걸음 나아가, 이 책이 앞으로 미술을 감상하거나 그를 통해 다른 문화를 이해할 때, 그 경험을 좀 더 풍부하게 만들어 주는 데 도움 되길 바란다.

다만 이 책의 내용은 미술사라는 학문 중에서도 지극히 일부분에 지나지 않는다. 미술사는 인류가 만들어낸 문화적 소산 전부를 대상으로 하는 학문이기에 그 앞에는 매우 광대하고 깊은 세계가 기다리고 있다. 미술사에 관련해서는 출간된 좋은 책들을 비교적 쉽게 찾아볼 수 있으니, 부디 이 책을 통해 더 넓은 세계로 나가길 바란다.

사진 제공

Aflo(akg-images, Artothek, Bridgeman Images, Iberfoto, TopFoto, Universal Images Group, 早坂卓)

참고 도서

《쉽게 읽는 서양미술사》 이케가미 히데히로 저

《다시 읽는 서양미술사》 이케가미 히데히로 저

《가장 친절한 서양 미술사(いちばん親切な西洋美術史)》 이케가미 히데히로 저

《이해가 잘 되는 명화를 보는 법(よくわかる名画の見方)》

이케가미 히데히로, 가와구치 사야카, 아라이 사키 공저

**처음 읽는
서양 미술사**

초판 1쇄 인쇄 2023년 6월 5일

초판 1쇄 발행 2023년 6월 12일

지은이 이케가미 히데히로

옮긴이 박현지

펴낸이 이효원

편집인 송승민

마케팅 추미경

디자인 양미정(표지), 이수정(본문)

펴낸곳 탐나는책

출판등록 2015년 10월 12일 제2021-000142호

주소 경기도 고양시 덕양구 삼송로 222, 101동 305호(삼송동, 현대헤리엇)

전화 070-8279-7311 **팩스** 02-6008-0834

전자우편 tcbook@naver.com

ISBN 979-11-93130-00-1 (03900)